편린 片鱗

나비부인을 위하여, 헌(憲)과 인(仁)에게

편린

발 행 | 2024년 7월 9일
저 자 | 진명웅
펴낸이 | 한건희
펴낸곳 | 주식회사 부크크
출판사등록 | 2014.07.15(제2014-16호)
주 소 | 서울특별시 금천구 가산디지털1로 119 SK트윈타워 A동 305호
전 화 | 1670-8316
이메일 | info@bookk.co.kr

ISBN | 979-11-410-9405-8

편린 片鱗

한 조각 비늘

진명웅 시집

차 례

프롤로그

에필로그

프롤로그

인디언멸망사를 기록한 책을 보면 인디언들은 말을 달려 한참을 가다가도 잠시 멈춰 서 그들이 달려온 길을 뒤돌아 보곤 하였다 한다. 그리고는 예절 바르고 명예로웠던 전사의 이름들, 예컨대 춤추는 늑대니 붉은 노을, 검은 고라니, 불타는 대지 같은 사라진 이름들을 하나씩 되뇌었다 한다.

적절한 인디언 식 이름 하나 떠올릴 겨를 없이 세상이 불러주는 이름으로 지나오던 지천명의 해 오월, 나는 비로소 시간의 궤적에서 내려 쉼 없이 달음질 해 온 나의 시간을 돌아보는 계기를 갖게 되었는데, 그 긴 시간이 마땅히 명명할 이름 하나 없이 허공에 그어진 듯, 아득해 왔다. 세월이 '亂'으로 각인 되었다. '난'중일기를 써 놓아야겠다는 생각이 들었다. 허나 그랬을 뿐, 그로부터 다시 십여 년이 훌쩍 넘는 세월을 나는 유위인 듯 무위인 듯 지나쳐 왔다. 시간은 동행할 수 있는 것이 아니었다, 그저 비껴 서 있어야 하는 것일 뿐.

그 세월, 감내해 온 시간만큼의 혜안과 크기를 가늠키 어려운 심연으로 부족한 연(緣)을 감싸고 해량해 주신 이정근(CK Lee)님께 갚지 못할 큰 인사를 드린다. 걸음걸음 내내 곁을 같이 한 오랜 친구들, 따뜻한 시선을 보내 주신 선후배 제위께도 감사를 드린다. 이 마음은 여생 소중히 간직하고 돌아볼 것이다.

훗날, 사랑하는 두 아들 헌(憲)과 인(仁)이 아비 되는 자의 작은 기록을 가끔은 꺼내 보았으면 좋겠다. 평생을 같이 한 나비 부인에게 이 시집을 바친다.

1부   이 봄도 따라 가겠네

춘난(春亂)

멀리

양양 산불로

낙산사 천년

비밀의 화원이 사라지다

건풍(乾風)으로

만상이 메마르다

아끼고 아껴 내리는 비

마른번개만 소란하다

도심에 비 내리고 멀리서 오신 새 한 마리 앉다

젖은 아스팔트 위로

새울음이 일다

천년 화원이 마른 봄 화마에 휩싸였다. 신라 어느 승이 동해바다 떠오르는 해를 보며 낙산(洛山)이라 이름하였을까. 사연은 세월과 함께 스러진다. 강남 복판에서 낙산의 새울음을 듣다. (2005)

이 봄도 따라 가겠네

복수초 귀히 보고
산수유 보이더니
왕벚꽃 산매화 만발하였네
싸느락 봄비에 목련 뚝뚝 지고 나면
이 봄도 길 떠나 꽃 따라 가겠네
이 봄 가면 비로소
피는 일 지는 일 알게 되겠네
가는 봄 비로소
살랑이는 바람
지나가는 일월
서럼없이 보낼 줄 알게 되겠네
속절없이 바라볼 줄 알게 되겠네

나의 봄은 나와는 상관없이 피고 지고 가는 것, 조금 일찍 알았더라면 세상 일
그와 같음을 서러워하지 않았을 것이다. (2010)

12

꽃의 변명

나비
햇살 가득한 오후
나를 두고
너울너울
가비얍게 날아가게 두고 싶지 않았다

꼭 그렇진 않을지라도 나는 안다. 나비는 꽃을 떠나지 않을 것이다. (2012)

날아라 새들아

꽃 피고 지는 일이 어디 그리 쉬운가
새 순 돋으면 그 아픔 감싸지는가
사람 사는 일이 다 쓸쓸한 일이다
날아라 새들아 오월이 오면
슬픔 마저 화사한 당신께 기별 해야겠다
수런수런 종래 닿을 수야 없지만
엊그제 바라보다 헤어진 사람처럼

5월에. 새들은 날고 꽃은 진다. 화사하고 쓸쓸한 일이다. (2014)

산행유감

대서문을 지나
중성문을 지나
노적사 오르는 갈림길 쯤에서
그만 그만 오르기로 한다
결의는 언제나 포기에 가까운 것
의상봉도 가다 말고 원효봉도 주저 앉았으니
저 높은 백운대야 무릇 오를 일 무엇인가
사방도 흐릿한데
산정은 정복자에게 맡겨두고
소중한 것은 소소한 것에 있다 하니
어디 낮은 물가 신발이나 벗어두고
세족으로 하루를 나야겠다

은평 2년. 산의 행적을 알 만 할 때도 되었으나 어느 봉우리에도 다가가지 못하
고 있다. 나는 산행담 하나 만들지 못할 것이다. (2014)

진관사 가는 길

비 그친 오후엔 진관사에 간다
서녘은 밝아 있고 소로는 젖어있다
부처는 어스름 안개 속에 있고
풀잎 이는 소리 가까워서 아득하다
은행나무 숲 물소리 정갈하여 낭랑하고
둘러싸여 트인 사위가 명징하다
풍경 틈 작은 새로 소란 소란 스님들이 지나간다
은인 하던 공기 일순 흐트러지고
명랑이 빗살처럼 들썩이다 가라앉는다
비 그친 오후엔 진관사에 간다

소나기 내린 여름날 오후. 진관사에 갔다가 한아름 나물을 다듬는 스님들을 대한
적이 있다. 나는 비 그친 오후의 이 절을 좋아하게 되었다. (2016)

부처님 모르게

일주문 돌아
해탈문 모로 돌아
사천왕 흘끔 보고
기왓장 깨진 사잇문으로 잠입
명부전 빼곡 걸린 위패도 세어보고
대웅전 측문으로 시중 번뇌 합장하고
나가전 묵언 스님 고무신에 꽂혔다가
부처님 정제간 살림 요량 훔쳐보다
주머니 손 찌르고 깡총 뛰는 스님과 마주쳤네
깜짝이야
들켰구나
홍조 오른 맑은 스님
손 꺼내 합장도 못하고
마실 나온 처녀 마냥
줄행랑 치네, 자기 집인데

삼각산 스님들은 해맑으시다. 맑은 부처들이시다. (2016)

윤회

경부고속도로에서
옥천으로 빠져 나와
영동 방향으로 한 시간
윤회를 찾아가다
천태산 영국사
하늘 가린 보리수 아래 눕다
파르라니 이파리 하나
햇살 속으로 떨어지다
술렁이는 바람 사이로
반짝이는 윤회를 보다

무주에 오가던 길, 영국사에 들러 천년수 아래 눕곤 했다. 큰누이가 병상에 있을
무렵이었다. 사람은 가고 그 후로 가보지 못하고 있다. (2010)

수련(睡蓮)

나는

생각보다

마음의 깊이가 깊지 않아서

생각하는 것

돌 위에 새기지 못하고

마음 먹은 것

물 위에 떨려 보내고

얇고 얇아서

흔들려 서러운 채

꽃 잎 젖으며

밑으로 밑으로

가라 앉는다

수련을 보면 개심사 못이 떠오른다. 경허 스님이 수행했다는 해미의 절을 찾은
건 내 나이 서른 중반 무렵이었다. (2012)

꽃씨 하나

어머니가 책상 맡에 붙여 주신 말씀 하나
하느님 보시기에 아름다운 사람

이제 내가 할 일은
하늘같은 사람이 되는 것도
하늘같은 사람을 사랑하는 것도 아닌
내 마음에 떨어진 하얀 꽃씨 하나 받아
키울 수 있는 사람이 되는 것

하느님 보시기에 아름다운 사람
하느님 보시기에 아름다운 세상

막 중학생이 된 작은 아이가 숙제로 쓴 시(2002). 제 엄마가 글씨를 얻어다 주었
던 것 같다. 아내는 이 글을 백화점 행사에서 얻었다고 했다.

남자가 가을을 타는 이유

오늘의 문제는 싸우는 것이고
내일의 문제는 이기는 것이며
모든 날의 문제는 죽는다는 것이다
그러니 사생결단가
빅토르 위고의 말처럼
죽자 살자
살자고 버팅기다가
어느 날 문득
생의 끝자락에 턱 하니 놓여지는 건 아닌지
휘르르 구르는
낙엽 속의 허무가
눈에 밟히기 때문이다

그리 로맨틱한 이유가 있는 건 아닐 것이다. 가을이면 마음 한 켠이 푸르러 시린
하늘에 자주 투영되기 때문일 것이다. (2015)

은평서설(序設)

겨울이 되자 산이 보였다

이파리를 떨구어 죽음을 맞이한 나무들 사이로

숨겨진 능선이 드러났다

지다 만 자작나무 사이로 검푸른 침엽수가 있었고

골바람 내리는 샛길로 새울음 소리가 빠져 나갔다

바스락 긴장을 풀지 못한 성긴 숲 속으로

마른 물소리가 흘렀다

아 사물의 안이여 바깥이여

경계여

거슬러 세월의 무게를 소장한 풍경이 정물처럼 누웠다

이말산 너머 삼각산은 악산의 봉우리로 떠있을 터였다

은평의 찬바람에 익숙지 않았다. 밤이면 마른 기침에 더운 차를 홀짝이곤 했다. 겨울 샛별은 유난히 차고 밝았는데. 새벽녘 쯤이면 사람의 얼굴들이 스쳐 지나갔다. (2016)

달 밝은 밤

빗소리인가 하여
동창을 여니
골바람 술렁이는 검은 숲 위로
달은 휘영청 별 하나와 낭랑하고
십여 층 아래
가로등 빛 붉은 섬광 주위로
은행나무 우수수 이파리 털어낸다
소슬바람 파르르
파장을 일으키고 있다

새소리 바람소리 이는 이말산의 가을 밤은 늘 이렇듯 낭랑했다. (2016)

잠 못 이루는 밤

잠을 이루지 못했다
밖은 어둡고 찰 것이다
몇 해 전 겨울
집으로 찾아 온 몇 취객과
담배 연기 섞인 허황한 숨들을 쏟아낸 후
그날 나는 베란다 창문을 닫지 않았다
밖은 어두웠고 바람은 혹독 했을 것이다.
내어 둔 화분 걱정이 겨울 내내 스쳤으나
스치고선 이내 봄은 절로 왔다
누렇게 언 화분에서 새순은 나오지 않았다
기다리다가
나는 사람을 불러 처분을 명했다
예닐곱 개의 생명 없는 화분이 실려 나갔다
있는 것은 종래 사라지는 것
어쩌자고 불쑥 그 일이 떠올라
잠 못 이루게 하는 것이냐

생명 있는 모든 것들에 대한 예의. 혹은 깊은 후회에 대하여. (2018)

간소한 이치

장 바이러스로
한 열흘 세상과 등을 졌다
그 안에 간간히
몇몇의 전화가 있었고
빈 걱정과 용무가 있었다
구부정히 누워 생각해보니
몰골도 정신도
형국이 아니다
이 꼴로 세상 무슨 참견인 들 할 수 있으랴
먹지 못해 존엄을 잃었으되
세상은 저대로 무탈하고도 남았으니
새삼 먹을 수 있을 때
사람 형용 간수해 두는 것이
세상 사는 간소한 이치라 하겠다

사람 모습 간수하고 사는 것이 사는 이치 중 으뜸이지 않을까 싶다. (2018)

미안한 자들의 정신

사람은
몸으로 태어나
갖은 정신으로 살다가
갖고 가지 못할 것
두고 가는 것
더 놓고 가려고 욕심 내다가
알 수 없는 이치 알게 될 때쯤
남겨진 것들에게 미안하여
뾰족한 방법 없이
갖은 정신 내려 놓고
몸으로 죽는다
영혼은 미안한 자들의 정신이다

살다가 떠나는 것 자체가 남겨진 것 들에게 미안한 일이다. 영혼이 구천을 떠돈
다면 그 미안함 때문일 것이다. (2018)

환갑

부산스런 세상
풀밭에 앉아
숨어 피어난
꽃 하나 건져 올리듯
멀리서 보면 소풍일 것이다
바람개비 세상
한 곳에 잠시 머물며
오래 기억할
서투른 하루를 보낸 것 같은

지난 세월이 일장춘몽이었거나 지난한 것만은 아니었을 것이다. 서툴렀을 뿐이다.
(2016)

우리는 무엇으로 사는가

우리는 이 땅에 태어나
자식 새끼 낳고 키우며 살아 왔다
애간장 무너지는 직립의 구체성을 살다가
쌓은 사연 무너지는 진화의 우연성을 겪다가
어느 낮은 곳으로 귀결되는 사과의 이치처럼
긴 역사의 후기에 이르러
넘길 수 있는 장(章) 다 넘기고도
다른 모든 생명 있는 것들처럼
밥이나 제대로 먹고 다니는지
끼니 때 마다
자식에 대한 걱정으로 산다

자식에 관한 한 기쁨은 잠시고 근심은 길다. 우리가 만들어 놓은 삶의 방식에서
아이들이 누려야 할 빛나는 시간은 어디쯤 있는 것일까. (2020)

보통사람이 사는 법

생전에 어머니가 말씀 하셨다
내 자식 귀하면 남의 자식 귀한 줄도 알아라
내 돈 피눈물 나면 남의 돈 피눈물 나는 줄도 알아라
나랏일은 백성 위한다 하는 짓들이니 웬만큼 따를 줄도 알아라

나는 말씀에 순종하며 살고 있다
내 자식 가여운 만큼 남의 자식 안타까워하며 살고 있다
내 돈만 할 리 없으나 남의 돈 허투루 대하지 않고 살아 왔다
나랏일은 모르겠으되 오고 가다 빨간불 파란불은
잘 지키며 살고 있다

보통 사람들은 이렇듯 이 신호 저 신호 잘 지키며 산다. (2020)

세한도

하늘에 걸린 별 총총
지상에 쌓인 눈 반짝
모하비처럼 굽은 세상
여의도 길게 걸어 한강 나아 가는 길
점박이 흰토끼도 보고
가만가만 처녀설도 밟고
홀연 한줄기 세찬 바람
주광색 가로등 빛 소스라친 사이로
몇몇 고독이 들썩이다 고요해졌다
흰 여백 속
비둘기 발목이 발갛게 얼었다.

눈 쌓이고 맑아 반짝이는 밤, 여의도 공원 가로질러 한강 가다 보면 세상이 흰 여백으로 떠오르는 것을 보게 된다. (2021)

겨울 환(幻)

맑게

차갑게

남극의 바다를 떠도는 빙하처럼 파랗게

눈 덮인 시베리아 광활한 자작나무 숲처럼 적막하게

보석처럼 반짝이게

푸르러 한없이 투명에 가깝게

눈이 부시게

눈이 부시게

여의도의 겨울. 한강에서. (2022)

12월의 꿈

나는 꿈을 꾼다
하늘의 연인과 꽃다발,
나는 지상에 있지 않다
나는 하늘에서 수줍은
사람을 만난다

나는 꿈을 꾼다
지상의 영원한 약속,
나는 세상 어딘가에 있다
나는 약속 위에 무너지는
세상을 만난다

12월이면 꿈을 꾼다. '샤갈의 마을'에서처럼. (2022)

2부 나의 세기

아침마당

아침이면
토스트에 꿀을 탄 커피 한잔의 진보적 식사를 하면서
구독 경제를 읽는다
벌거벗은 앞장은 훑어 내리고
매복 된 뒷장의 가시들을 탐색한다
재수가 좋으면 건져 올릴 게 많다
행복원 예수의 기도하는 빈 손이 건져 올라오고
켜켜이 쌓인 수상한 나라의 빈한한 역사가 건져 올라오고
계몽시대 훈육같은 사설조의 긴 시가 따라 올라오고
에드먼드 버크의 초상이 심봉사 눈 뜨듯 살아 올라온다
아 아침이면 나는
편향된 칼로리의 식사를 하면서
깊고 피곤한 세상의
분리주의자가 되고 있다

*에드먼드 버크(1729~1797): 영국의 보수주의 사상가

우리 대부분의 정체

우리는
불의에 눈을 감고
시대를 긍정적으로 해석하려는
엘리트다
영혼과 정신은 드높으나
현실 앞에 곤궁한
햄릿이다
깃발과 광기의 신열에 휩쓸린 후
뒤돌아 한숨 짓는
피에로다

소통난무

소통의 시대가 왔다. 개나 소나 소리를 내기 시작하자 광야에 사람의 소리 낮게 숨고 개 짖는 소리 소 울음소리 가득하였다. 시끄러워졌다. 달콤한 소통의 아우성 후 사람은 그냥 사람으로 개는 더 개로 소는 더 소로 남게 되었다. 광야에 사람이 관여할 일이 많지 않게 되었다.

소통의 근본이 인본의 경지에 이르자 제자백가는 실험 정신에 입각하여 백성들을 표본실의 청개구리처럼 소비하였다. 휩쓸린 청개구리들이 쓸려 나가고 미지의 청개구리들이 새 실험에 소비 되기를 기다리고 있었다. 이 실험은 역사처럼 계속될 것이다.

호랑이를 위한 세상이 있었다. 따르는 자에게 밥이 주어졌고 세상은 고요했다. 여우를 중심으로 전략이 세워졌다. 평등의 깃발 아래 전략적 희생이 따랐다. 그들의 세상이 왔다. 권위가 권위주의와 함께 사라지고 품위가 가치와 함께 실종되었다. 광야에 여우 소리만 청청 하였다.

시와 효용

밤새의 취기에서 덜 깬 시인이 지하철역 편의점에서 커피 한 잔을 마시는 사이, 아침을 시작하는 사람들이 지나갔다. 사람들은 시인의 부스스한 머리를 지나갔고 시인은 사람들의 부스스한 표정을 지나쳤다. 시인은 삶의 궤적에서의 이탈을 용인하는 것, 욕망의 옳고 그름을 풍유하는 것이 시의 지난한 태도라 생각했다. 시인은 스스로 시인이기를 명명한 세기 말의 어느 날부터 좌상의 술값을 책임지지 않기로 했다. 시대와 사람을 연민할 뿐 유희의 거래를 책임지진 않기로 했다. 시인은 그 아침 책임지러 가는 사람들을 연민하였다. 그 아침 시인은 다시 죽으러 갔고 사람들은 죽어도 살러 갔다. 죽으러 가는 시인의 푸념이 포장도 없이 거리에 나부꼈다.

똘레랑스 시대의 폐막

어느 시인이 사는 건 바닥으로 내려가는 것이라 했다. 사는 건 차라리 바닥으로 내려가 어느 막막한 물가에서 홀로 잔 기울이는 일이라 했으면 좋았을 것이다. 아무도 이제 더는 저 바닥에서 마주치는 까마득한 고립을 견뎌 낼 수 없기 때문이다. 부활과 종말의 시대부터 낮은 곳에 임하여 온 선지자의 후예들은 왜 이를 말하지 않는지 모르겠다. 바닥에 내려서면 언제나 더 깊은 바닥이었음을 왜 고백하지 않는지 모르겠다. 꿈꾸며 바닥으로 내려가고자 하는 시인에겐 송구할 따름이다, 똘레랑스 시대의 폐막과 함께.

알지도 못하면서

살고 있는 자들은
살기 위하여 버텨주세요
아프니까 청춘이고
흔들리며 피는 게 꽃 이라지만
제 손가락 베인 상처보다 더 큰 상처가 있을까요
제 살 깎아 채운 슬픔보다 더 큰 슬픔이 있을까요
교회는 십자가에 엎드려 배부른 구원을 빌고
소승은 만장에 엎드려 넉넉한 극락을 비는 것이
제 사는 길 들 이겠거니와
화려한 말꾼들은 들어가 주세요
알지도 못하면서
살아있는 우리
파괴될지언정 무릎을 꿇지는 않을 것이니
사는 건 채우는 자의 것이요
생명은 살아남는 자의 것이 될지니

시여, 지금은

굶어 피폐해지는데 사흘이면 족할 것이다
그 사흘 시여, 바오로의 말씀에 연연하지 마라
남모를 사랑 넘치는 형제애는 그대의 것이 아니니
저 낮은 곳의 비루한 안식을 얘기하지 마라
일상에 숨은 패자의 사연도 그대의 것은 아니니
저 낮은 곳의 쇠잔한 눈물을 얘기하지 마라
꽃은 시들었고
풀은 누웠으며
말씀은 수천 년 견고하되
연민은 여전히 연민을 지나지 못하니
지나간 일월은 지나간 세기의 것이 되었다
그러므로, 시여
지하철에서 만나는 시여
의식의 변방에서 만나는 시여
지리산과 섬진강에서 만나는 시여
그 사흘, 무엇을 말해도 거짓에 거짓을 더하게 될 터이니
말씀은 말씀의 영역에 두고

연민은 연민의 영역에 던져둔 채
21세기 예수가 홀연히 다녀간 세상
굶지 않고 살다 갈 무한의 소유를 꿈꾸어라
지금은 이카루스의 신화처럼
분연히
죽지 않을 시대의 욕망을 일으켜 나가야 할 때이다

나의 세기

나의 세기엔
나의 영웅들이 스러져 갔다
박경리
김대중
김수환
박완서
최인호
마흔 여덟의 성자 이태석

그들의 세기에 일어나
나의 세기에 누운
꽃이여 별이여
위대한 부활의 이름 들이여

사진 찍기

사람이 풍경인 사진을 찍어야지
사람도 세월처럼 풍경 속을 다녀가는 것
사람이 풍경의 주인공일 수는 없지
시간을 쌓아 살아온 내겐 풍경이 없다
지나간 흔적은 흑백으로 남아 있을 뿐
사람의 전설은 풍경 속 여백으로 처리한다
나는 무엇을 찍으려 셔터를 누르지 못하는 것일까
상실의 시대를 살아온 내겐 삭제 기능이 없다

다시, 시와 효용에 대하여

시의 효용에 대한 언급을 불경스럽게 생각하는 분들이 있으시겠다. 벙어리삼룡이와 빈처를 소설의 고전으로 삼고 수영과 춘수를 장르로 논했던 세대에게는 더 하시겠다. 그러나 부활 이후 신 마저도 니체에 의해 죽음을 면치 못하였으니, 문학의 효용이 이 땅에서 사망 직전에 이르렀다 한들 무슨 놀랄 일이겠는가. 나는 궁금하다. 서정으로 가르침을 파는 시인, 심심한 정신의 가닥을 파는 시인, 기억의 비극성을 파는 시인, 추억의 섬진강을 파는 시인, 메가의 속도와 기가의 메모리가 판타지를 그리는 세상에서 버리고 비우고 연민하고 훈계하며 잘 살고 있다는 시의 한가로움이 궁금하다. 시가 생존에의 효용과 그 효용의 고단함에서 멀어진다면, 시는 나르시스의 유희를 탐해온 지나간 시대의 메랑꼬리에서 헤어나올 수 없으리라. 시는 시인의 손을 떠났다. 시를 불러내는 건 죽은 시인의 사회의 선각자들이 아니다. 시를 불러내는 건 자본의 일선에서 피 흘리며 투쟁하는 시장의 장돌뱅이들이다. 시가 부딪혀야 하는 건 잔혹하지만 운명적이고 숨가쁘지만 숨을 곳 없는 리얼리티의 세계다. 팔려서 돈이 되는 시를 쓰라. 팔려서 진혼이 되는 시를 써라. 그렇지 않으면 시는 저 인구론을

돌파한 설국열차에 그 자리를 내어줘야 할 지 모른다. 인터스텔
라의 크리스토퍼 놀란에게 시의 정의를 물어야 할 지도 모른다.

순수의 시대는 갔다

순수의 시대는 갔다
순수의 시대는 가고
소유와 집착의 강철 의지가
패배와 냉소의 허무 대오가
각각의 전후방에 위치한다
순수의 시대는 가고
변증된 시대의 프레임이
변신된 가면의 모습으로
몸을 뒤틀며 다가오고 있다

잔치는 계속 된다

나이 서른에 잔치는 끝났다고 한 시인이 있었다
오팔육들아 잔치는 끝났다고 한 저널리스트도 있었다
잘 먹은 이도 있고 얻어먹지 못한 이도 있었다
잔치 안에서 가슴 졸인 이도 있고
잔치 밖에서 뼈 시린 이도 있었다
잔치는 끝났다는 시대의 종언 후에도
혹자는 풍문처럼 잔치 주변을 서성거렸다
뭔가가 새로 짜여진다는 것이다
끝났다고 믿는 놈이 진다는 것이다
잔치는 계속 된다

만보삼창

만보는 오억 주고 사둔 영종도 땅을 십 몇 억에 팔고 다시 신세계를 찾는 중이다. 그와 나는 역삼동 국밥 집에서 점심을 먹고 앉아 몇 가지 사항에 의견을 같이 했다. 첫째, 나이 오십 줄 이면 밥벌이에 신물이 날 때가 되었다는 것이다. 둘째, 그래서 일 안 해도 퐁퐁 솟는 샘물을 어딘가에 파 놔야 한다는 것이다. 셋째, 그 샘을 찾는 것이 화두인데 결론은 역시 부동산 근처라는 것이다. 나는 그의 최근 행적을 경청 하였다. 파주 엘지 필립스 건너 땅 십 몇 억 짜리는 몇 배 튀길 수 있는 건데 가운데 나는 도로로 인해 잘리는 것이 문제였다. 인천 어느 사거리의 공터는 평당 사백인데 중개하는 인간이 전화만 해 대더니 소식이 없다. 송도 지구가 좋긴 한데 인허가 내 주는 놈을 가운데 중개하는 놈 이 끼고 앉아 같이 하자는데 도통 믿을 수가 없다. 만보와 나는 오랜 세월 쌓아 온 지기다. 나는 그의 성찰에 동조를 아끼지 않으며 매일 아침 일과 시작 전 이 삶의 실천적 과제에 부단히 집중 하리라 마음 먹었다. 하늘도 그러시지 않았는가, 스스로 돕는 자를 돕는다고. 만보를 보면 안다.

아무도 의심하지 않았던 문제에 대한 문제

"서양인들은 국민이 투표권을 행사해 선거를 하는 것만이 정권에 정당성을 준다고 종교적으로 믿고 있습니다. 하지만 정권의 정당성은 정부의 역량으로 평가하는 것 아닐까요? (...) 미국의 민주주의를 지탱하는 세 가지 제도 중 국회지지율은 11%, 대통령지지율은 30%를 왔다 갔다, 사법부신뢰도는 50% 이하입니다. 소수의 나라를 제외하고는 민주주의 시스템을 작동시키는 개도국 대부분이 빈곤과 내전에 허덕이고 있습니다. 민주주의 국가들은 뽑아놓고 후회하는 악순환을 반복합니다. 뽑아놓고 나면 불과 몇 개월 뒤 지지율이 50% 밑으로 하락합니다. (...) 저는 서구가 자신의 민주주의 시스템을 아프리카, 중동, 아시아에 보편적으로 적용하려 하는 오만을 비판하고자 합니다. 이 자만이 서구가 앓고 있는 병의 근원입니다. 중국 모델이 대체재가 될 수 있다는 것이 아니라 지구상의 다양한 정치 모델이 성공적으로 공존할 수 있다는 말을 하려는 것뿐입니다." ('중국의 소로스, 에릭 리', 중앙일보, 2013 8.17)

문제) 민주주의는 한국뿐 아니라 전 세계 수많은 시민이 목숨을 걸고 쟁취하려 한 이념의 집합체였다. 그러나 리콴유 싱가포르 전 총리는 그의 재임 시 '문화가 운명이다'라는 기고문에서 중국과 베트남, 대만, 한국 등의 문화적 특수성을 고려할 때 서구적 민주주의 개념은 동아시아에 적합하지 않다고 말한 바 있다. 이에 당시 김대중 대통령은 '민주주의가 운명이다'라고 피력하여 한국의 민주화 운동을 정당화 하였다. 분단국가 대한민국에서 반세기 넘게 살아온 당신이 생각하는 이 땅의 운명은 무엇인가, 문화인가, 민주주의인가. 아니면 제3의 무엇인가.

놀라운 사실

TV에서 아프리카 아이들의 검고 퀭한 눈망울을 볼 때마다 나는 이 아이들이 부디 마실 물 마시고 먹을 것 먹게 되기를 빌었다. 수단이건 소말리아건 내전의 총부리가 치워지고 소 먹이는 옥수수, 기한 지난 스팸, 신다 버린 운동화라도 전달되었으면 좋겠다고 생각했다. 이들 땅의 자원을 탐내는 서구 자본들이 무턱대고 들어가 우선의 먹을 물 우선의 먹을 빵이 제공되기를 빌었다. 아, 방글라데시 염색 공장의 종잇장처럼 구겨진 여인 들이여, 인도차이나 반도 곳곳에서 나이키를 만들고 있다는 어린 청춘 들이여.

그러던 어느 날, 예컨대 매혈가 허삼관의 후예들이 하루 세끼 제대로 먹고 인간답게 살자고 일심으로 분연히 일어선다면, 그동안 자비와 너그러움으로 관조한 인생을 살아 온 내가 더는 그럴 수 없게 되리라는 사실을 깨닫게 되었다. 그들의 떨쳐 일어나는 시늉만으로도 이 땅의 라면과 식용유와 신발과 치약과 휘발유와 시멘트 값이 솟아 오르고 하수구 철제 뚜껑이 뽑혀 팔려 나가는 것을 보면서, 내 연민과 너그러움의 값이 갑자기 스프링처럼 튀어오르는 것을 알게 되었다. 신자유주의 경제를 알게 되었다.

혁명과 반혁명

보라
혁명은 원리주의의 칼을 휘두르고
반혁명은 수정주의의 날을 휘두른다
매번 절망의 끝에 이른 역사가
짜고 치는 고스톱처럼
혁명과 반혁명을 번가를 때
그 틈에 휩쓸려
깃발 들고
못 먹어도 고 부르짖다 쌍 코피 터지는 건
어리석은 백성들 틈에 낀
멋진 그대다

후회

점심 자리에서 시론을 편다.
다들 경청한다.
보수자유론자들이 전작권 환수를 반대하는 것은
정치적 반전을 위한 이슈화에 대한 경고다.
진보평등론자들이 한미 FTA를 반대하는 것은
포퓰리즘 정권의 자가당착이다.
포퓰리즘은 이슈의 단순화를 통한 선동 정치의 수단이므로
그 최대 피해자는 거꾸로 민중 자신이 될 확률이 높다,
높은가? 높겠지.
나는 시류에 평론의 칼을 휘두른다.
관객들의 반응도 좋다.
나는 사장이다.
밥 한 끼의 갑질이 끝났다.
밖엔 햇볕이 찬란하다.
아, 나는 말수를 줄여야 했다.

잘못이다

인문학적 상상력을 믿었다

에덴 동산의 사과는 먹으라는 사과 아니냐 생각했다

최후의 날엔 그 사과 다시 심어야 하는 것 아니냐 생각했다

돌아가도 간다고 생각했다

가는 길의 고난도 축복의 시련 아니냐 생각했다

아파도 아름답다고 생각했다

잘못이었다

오만이었다

무언가를 믿는다는 건

그렇듯 떠들어 댈 게 아니라

세상 앞에

한없이 양해를 구해야 할

겸손이었다

구파발역 2번 출구 앞의 시

북한산 행 버스를 기다리는 산행객을 위하여
꾸러미 좌판을 벌인 양말 장사를 위하여
붕어빵을 연신 구워 내는 젊은 부부를 위하여
무뢰하게 늘어서 있는 택시를 위하여
다급히 서고 가는 버스를 위하여
환승을 기다리는 청춘을 위하여
횡단로를 바삐 건너는 중년 여인을 위하여
에스컬레이터를 빠져 나오는 시민 케인과
고도를 기다리는 제13의 아해를 위하여
이들 모두를 굽어보시는 구파발 성당의 성모마리아를 위하여
그 모두의 사이로
한 여름 소나기 쏟아져 내리듯
밤 하늘 은하수 쏟아져 내려
지상에서의 한 순간
팔딱팔딱 뛰게 할 수 있어야 시다

늙어 가난한 중생들에게

세상
변화고 나발이고
근천 떨지 말고
육갑 넘어 갈 것 없이
술 자리든 묘 자리든
지하철 3호선 빈 자리든
구목(丘木)으로 서서
소풍 왔다 가는 거지
시인 흉내 내지 말고
낡은 바지 다려 입고
통 큰 바지 줄여 입고
살바도르 달리 수염가면 맞춰 쓰고
가볍고도 예의 있게
진자리 마른자리 가려가며
감출 건 감추고
품위들 좀 지키고 살자
애들이 욕한다

자존심 한 조각

백년지계는 옛말이 되었다
자유와 평등으로 대립해 온 민주가 그렇다
양치기 어른의 거짓말 같은 남북이 그렇다
생존과 응전의 짓무른 역사가 그렇다
녹슨 칼 새삼 휘두르는 보수가 그렇다
철딱서니 없이 오만한 개혁이 그렇다
쉬 버리는 마음이 그렇다
쉴 새 없이 쏟아내는 우둔의 확신이 그렇다
돌아서 사시 뜨는 양식의 배신이 그렇다
익명으로 쏟아내는 저주의 배설이 그렇다
은밀함을 교환하는 중년남녀지사가 그렇다
늙어 오래 된 자들의 후안무치가 그러하다
그렇다
페시미즘 성향의 음악이나 들으며
어두운 강 길게 건너면 되는 일인데
지나온 지혜로는 어려운 것이다.
비극적으로 보아야 실체가 보인다고 한다
그래야 자존심이나마 한 조각 건질 수 있다고 한다

여행 편지

앙코르와트에 갔더니 부처는 멀리 있고 벌거벗은 아이들의 허기진 빈손만 있었다 듣습니다. 샹그릴라에 갔더니 설산은 멀리 있고 땔나무 진 아이들의 키 작은 행렬만 아득 했습니다. 환희의 도시 다카엔 기쁨은 간데 없고 맨발의 인력거꾼 소리만 요란하다 했습니다. 세상의 저편엔 전쟁의 상흔으로 아스라히 사막으로 눈 돌리는 오스만의 어린 후예도 있고, 그 옛날부터 슬프다는 아프리카의 그렁그렁한 눈망울도 있습니다. 우리는 그곳에 소풍을 갑니다. 그들의 조상을 찬탄하고 유람하며 그들의 오늘에 메마른 동정의 시선을 떨어뜨리고, 그리고 다시 소풍에 나섭니다. 예컨대 우리는 매 번의 소풍에서 무슨 보물찾기를 하고 있는 걸까요. 관념과 유희의 칼로 스스로를 베지 않는다면, 아이들이 눈에 밟히는 그곳에 가면 사람은 공기만으로도 살 수 있다는 것을 알게 될지 모르겠습니다.

3부 쉰 아홉의 고백

길을 잃다, 길 없는 길을 가다

지천명을 지나면서도 나는 아무런 사유 없이 도시의 휘황한 골목 길을 지나치듯 스쳐왔다. 모두가 잠든 새벽, 도시를 비추는 달은 관능적이었고 나는 뫼비우스의 띠를 쫓았다. 시간은 멈추지 않는 것이어서 어머니가 평화동에서 저승의 길을 여셨을 때도 누이가 그 길을 따랐을 때도, 나는 대학병원의 층계참이나 돌아오는 길 오래된 느티나무 아래서 한참을 흐느꼈을 뿐 가던 길을 멈추진 않았다. 멈추지 않았으므로 천명은 그렇게 멀어져 갔다. 세월은 흘렀고 21세기 예수가 지상에 사과의 복음을 전파하고 사라진 어느 그믐날 밤, 메니에르 안정제 몇 알을 삼키고 허우적대다 시 공을 알 수 없어 면벽을 하던 그날 새벽, 나는 길을 잃고 말았다. 내가 쫓던 뫼비우스의 띠는 오르막이었을까 내리막이었을까. 종 래 나는 길 없는 길을 가고 있다.

하루

돌아와 보니 아침에 없던 나뭇잎이 수북하다
오래 비워 두었던 집 같다
앞산 능선에 나가 따뜻한 차를 마셨다
한 줌 볕이 평화로웠으나
평화가 어디 그리 믿을 만한 것이던가
부화한 번뇌와 싸우는 최후의 무기는
여기 소멸 되고야 말 작은 것들 이거니와
그에서 멀리 벗어나는 일이 예삿일은 아니니
기억해야 한다
모든 것은 지나가고 지나가는 것은 잊히리니
잊힌 그 자리에 새로운 것들이 찾아들 거라는 것을
지금은 오래 비워 두었던 집에 홀로 가야 할 때
하루는 그렇게 가는가
하루는 여전히 오는가
여전히 신열에 들떠 있는가

뭐냐고 물으신다면

젊은 시절
누가 묻지 않아도 나는
T.S. 엘리어트를 빌어
정치적으로는 귀족주의자요
종교적으로는 가톨릭이며
문학적으로는 고전주의자라고 하고 다녔다
세상을 사는 동안
나는 자유주의자에 더하여
대중애증론자에 가까워졌다
세월을 보내고 난 지금
나는 세상과 관계할 것 없는
분리주의자가 되어 가고 있다

감정소곤

나는 이제 지쳤어
낮은 위대하고 밤은 황홀했던
그 끝없던 열망은 사라졌어
시간마저 에둘러 흐르는 지금
푸르러 갠 하늘이면 돼
비 오는 숲 속이라도 상관없어
끊임없이 스멀거리는 관계를 삭제하고
어설픈 미망의 네트워크도 정리하고
하늘 아래 허황한 들판 위에
빈 영혼으로
자작나무 작은 숲에 누우면 돼
나는 이제 지쳤어
감정이 피곤에 있으니
세상을 사랑할 마음이 없어

* '感情所困 無心戀世', 장국영 (2003)

쉰 아홉의 고백

나는 청개구리를 본 적이 없다. 두꺼비와 맹꽁이도 본 적이 없다. 나는 조랑말을 본 적이 없다. 당나귀와 노새도 본 적이 없다. 생각해 보면 나는 두더지도 너구리도 본 적이 없다. 나는 본 적 없이 본 것처럼 살아 왔다.

촛불을 켜고 치성을 드리고 촛불 앞에서 소망을 빌었다. 촛불을 켜놓고 사랑을 고백했다. 그 수줍던 촛불이 광장에 나와 제 한 몸 불태운 후 저항의 상징이 되었다. 나는 촛불 하나 든 적 없이 태운 것처럼 살아 왔다.

사람에게는 인연이, 사람 아닌 것에는 우연이 있을 것이다. 우리에겐 사연이 그들에겐 필연이 있을 것이다. 모든 존재하는 것 들끼리엔 오랜 연민이 있어 왔을 것이다. 나는 연민없이 오랜 인연을 가장하며 살아 왔다.

나이가 들면 더 지혜롭고 너그러워지리라 생각했다. 나이를 먹으며 반대가 됐다. 결론 내지 못한 욕심 두고 갈까 두려워 무엇

하나 내려 놓지 못하고 있다. 내려 놓지 못하고 염치 없이 더 움켜 쥐며 살고 있다.

거짓으로 살기

거짓으로 살기
거짓이 내 삶이 될 때까지
내 삶이 평화로운 위장의 기교로 가공될 때까지
그 삶이 지지 않는 한 송이 조화로 장식될 때까지
최후에
예수의 빈 손을 따뜻이 맞잡을 수 있게 되기까지

혼자 있어도

죽을 것 같던 시간도 갔다
먹지 않던 아침밥을 먹고
나는 관계를 정리 중이다
세상에 무슨 거짓을 더 하랴
보고 싶던 새는 이미 죽었다
위장된 소셜 미디어 같은 관계를 삭제하고
선선한 바다처럼 나는
혼자 있어도 행복한 사람이 되어야겠다
아무 찾아오는 이 없어도
아무 할 일 없어도
나는 행복한 사람이 되어야겠다
그 사람이 혼자 계실 테니까
그 사람이 나를 위해 살고 있을 테니까
그러다 그날
세상에 무슨 미련을 더 하랴
장미 한송이 낮게 피어날
그날을 기다려야겠다

소유를 말하다

길상사 오름 숲 속, 한 떼의 햇빛 뭉치가 젖은 그림자를 따라다니고 있다. 굽은 숲을 가르는 차의 행렬이 멸종의 위기에서 허덕거리듯 위태롭다. 이끼 낀 터널을 변곡점으로 트인 시야에 마음을 놓는다. 놓는 일은 붙잡는 일 만큼 어려웁다. 무위자연의 숲도 찰나를 지탱하는 시공을 단단히 붙잡고 있을 것이다. 숲은 야트막한 관목과 연약한 애기 들풀의 몸줄기, 어둡고 습한 이끼와 지하의 열기를 소유하고서야 한가로운 새 울음과 방종한 나비의 몸짓을 허락하고 있다. 소유함으로 얻고 얻음으로 세월을 내리는 것이니, 소유로서 무소유의 소임을 다하고 있는 것이다. 무위 임을 모르고 가지려는 생명은 없다. 두고 가기 위해 가지려는 것이니 가지려 애쓰고 주고 가려 애쓰는 것의 끝은 무위에 닿아 있을 것이다. 무소유한 분의 무소유 말씀이 있었다. 그 외 모든 선각 중생은 설핏 무소유를 말하지 말라. 연년세세 숲의 치열한 소유를 말하라. 길상사의 숲이여.

타인에게

친절하라, 오후 8시 지하철 안의 군상에게, 흘러간 노래를 눈치 껏 끼워 파는 잡상인에게, 노약자석에 앉은 등산복 차림의 얼큰 한 중년에게, 스마트폰에 머리를 담고 서있는 피곤한 젊음에게, 방금 나온 식당의 말귀 어두운 이방인 여인에게. 지치고 힘든 화 려한 서울에게.

친절하라, 쉬 잊히지 않는 이별에게, 성숙시키지 못한 관계에게, 너무도 자주 가졌던 침묵에게, 극도로 예민한 고양이와 가져서는 안될 자존심을 가진 개에게, 누구나 쉽게 찾을 수 있는 북두칠성 에게, 매일같이 일어나는 무력에게. 쉼 없이 쏟아지는 눈 앞의 일상에게.

그대가 마주치는 사람, 그대가 대하는 사연, 그대가 부딪히는 모 든 사물에게 친절하라. 호모에렉투스 이래로 지상에서의 홀로서 기를 위해 언제 끝날지 모르는 가장 처절하고 힘든 싸움을 하고 있는 이 순간의 그대, 지금 이 순간의 모든 타인을 위하여.

평범한 일상의 무력에 대하여

수학여행은 일상의 일이다
배를 타고 바다를 건너는 것도 일상이다
다 먹고 사는 일에 속할 것이다
이 먹고 사는 일이 위험하다
배가 침몰했고 아이들이 돌아오지 못했다
어떤 행위를 해도 죄를 짓는 것 같았다

내시경 하는 것도 일상일 것이다
병원 다니는 일도 소소한 일과가 되었다
다 버텨내고 사는 일에 속할 것이다
이 버텨내고 사는 일이 위험하다
누군가 입원을 했고 나는 찾아보지 못했다
일상의 행위를 할 수 없어 빈 그림자 같았다

스마트폰이 일상이 된 것은 오래된 일이다
SNS가 일상을 대신하는 것도 일상이 되었다
다 매달리며 사는 일에 속할 것이다

이 매달리며 사는 일이 위험하다
누군가와 교신하려 했지만 신호음이 돌아왔다
수신이 거부되자 평범한 일상이 무너져 내렸다

사랑, 모든 아홉의 청춘에게

사랑이라는 이름으로 저장해 둔 지나간 몇 해 가슴 속 편린을 꺼내 본다. 태어나는 건 순서가 있어도 스러지는 건 순서가 있는 게 아니니 나의 말은 농담처럼 가벼운 것인지도 모르겠다. '클라우드 아틀라스'를 봤다. 가까운 옛날과 오래된 옛날, 미래의 멸망과 멸망 후의 미래, 사람들이 윤회처럼 등장하고 퇴장한다. 세상은 변해도 사랑은 진화하지 않는다. 더 많은 용기를 필요로 할 뿐이다. 그 용기를 끄집어 낼 수 없다면 윤회 앞에 시린 허무를 택하면 될 일이다, 사랑이 결코 모든 청춘에게 허용되는 것도 아닐 것이므로. 세월의 어느 장 앞에 멈춰 서 한 시대를 마감하는 스물 아홉의 흔들리는 꽃에, 서른 아홉의 스쳐가는 바람에, 마흔 아홉의 부서지는 파도에, 그리고 피아졸라의 탱고를 듣는 쉰 아홉의 청춘에게, 다시 사랑을 묻는다.

영웅 보(普)

베체트 병이라는 병명을 얻었으므로
그는 환자가 되었다
퉁퉁 부은 발목을 바라보던 세브란스에서의 그날 이후
그는 장수의 시골로 들어갔다
몇 년이 흐른 가을
그로부터 잘생긴 사과가 배달되었다
몇몇이 주섬주섬 우정을 챙겨 들고 시골로 내려갔다
놀랍게도 장수에는
그가 일군 일천 칠백 기의 무장된 사과수가
하니, 산사, 홍옥으로 서 분열을 하고 있었다
그와 그의 아내가 연신 깎아내는 맛의 향연에
한식경도 취하였다
아 어찌 뒤늦게야 깨달았을까
그것이 그들의 벅찬 시위였음을
사과의 흥망으로 말하고 싶어 하던 역사였음을
그 일상의 깊고 깊음을 나는 어쩌자고
무덤덤이 스쳐 지나 왔단 말이냐

우리들의 마지막 10년

붉은 빛을 토해내는 만추의 주말, 강천산에 형제들이 모였다. 출생의 제비뽑기에서 행운을 차지한 우리 사형제와 대체로 그렇지 못한 이종사촌 사형제가 모였다. 최근에 세상을 떠난 마지막 한 분까지, 어머니의 네 자매를 얘기하는 자리였다. 그들의 삶은 아득했고 아득해서 천년 같았는데 그가 말하는 나의 어머니, 내가 말하는 그의 어머니가 서로 닿을 듯 모를 듯 이어지고 있었다. 술 익는 자리였다. 육십을 넘긴 형제들은 강호를 헤쳐 온 검객처럼 술잔을 부딪혀 무림의 앞날을 주고 받았다. 우리의 마지막 10년은 먹고 살 만할 것인가, 근근할 것인가.

나의 마지막 10년은 무엇으로 남을 것인가. 나는 2년마다 받는 건강검진과 보험을 떠올렸다. 연금과 현금과 부동산의 미래 가치를 상상했고, 아내와 아이들의 현재를 떠올렸다. 새벽녘의 번민과 불면도 함께 떠올릴 쯤 해서 나는 다시 무림의 어머니 얘기에 귀를 기울였다. 나는 내 어머니의 작은 세계에 닿아 가려는 정신을 추스르며 어디 중간쯤에서 빠져 나오려 애썼는데, 강호의 형제들은 이미 변덕스런 늙은 마누라들을 받들어 남은 여생 편히 살아남는 방법에 대하여 분분한 의견을 날리고 있었다. 아 우리들의 평화로운 소멸은 가능할 것인가.

자작나무 연습

나는 이명과 어지럼증을 앓아 왔다. 하 세월 저 바람 숲 속 한 그루 나무였더라면 귓소리는 오뉴월 가지 위에서 맴도는 드높은 휘파람새 울음 쯤으로 흘려 들었을지 모른다. 그러다가 불쑥 세속 도시의 휘황한 불빛 같은 어지럼증이 발작처럼 몰려 올 때면 나는 얼른 저 원대리 숲 차갑고 정연한 자작나무 대열을 머리 속에 떠올려야 했다. 아 그 숲 속 어느 가장자리에서쯤, 하늘을 우러러 말씀의 죄 앞에 엎드려 한참을 흐느끼고 나노라면, 소리며 빛이며 눈은 초점을 잃고 등엔 식은땀이 주르르 흘러 내리곤 했다. 그러나 오래된 병은 고치는 것이 아니다. 오래된 숲 속 자작나무 마른 껍질처럼 드문드문 하얗게 비껴 버티고 서있어야 하는 것이다.

말씀의 역사 (1)

싯다르타
여든의 수로
열반에 이르러 하신 말씀이라 하니,
슬퍼 마라 슬퍼 마라
내가 언제나 말하지 않았느냐
사랑하고 사무치는 모든 것은
이승의 연에서
곧 헤어지지 않으면 아니 되나니

말씀의 역사 (2)

말씀에

태양 아래 새로운 것이 없나니

모든 것이 이와 같을 것이다

목숨 있는 것에 끝이 있고

끝은 시작의 출발 이려니

끝이 닿아 끝이 없는 윤회가 그와 같을 것이다

그러므로

끝과 시작에 새로울 것이 없고

또한 흔적 없이 지나갈 것이거니와

다만 나는 거기 있지 않을 것이니

슬퍼 마라 아들아

그 자리가 너의 자리가 되어

모든 것이 그와 같을 것이다

자클린의 눈물

내게도
스스로 운명을 거둘 기회가 주어진다면
남쪽에서 일어난 거센 바람이
먼 바다를 거칠게 스쳐가는 밤
숲 속의 새들이 미처 눈을 뜨기 전
그 쫓기는 시간의 마지막에 반듯이 누워
어둠 속 첼로를 들어야 하리
그러다가 일순 고요가 찾아오고
먼 하늘에서 눈이 날리 듯
글리산도가 정적을 가로지르면
그 때 그 속으로 떠나 보내리
나를 놓아 보내리

나의 쓸쓸한 오늘

저는 제 삶에 대하여 말하지 않습니다
저는 파토스의 유희를 버린 편입니다
그저 유용의 대상으로 스치거나 내려 놓습니다
남의 어깨에 실오라기 하나 얹히지 말자는 생각이지요.
내가 보는 만큼이 세상의 크기입니다
그만큼이 리얼리티의 크기이기에
그만큼은 미련없이 깔끔해야 된다고 생각해 왔습니다
스스로 바닥을 드러내지 않는 이유입니다
냉정히 파레토의 법칙을 존중해 온 연유입니다
저는 제 삶에 대하여 말하여 오지 않았습니다
나 하나 무게라도 깔끔히 짊어져야 한다고 생각해 왔습니다
그렇게 하여 꿈 꿀 일없는 혼자가 된 것입니다
그렇게 살아 쓸쓸한 오늘에 이른 것입니다

훈장

이젠 내게도
무언가가 있어야겠다
세월에 대한 보상으로
웬만큼 겪을 것 겪은 자 만이
마지막에야 가질 수 있는
텅 빈 솔직함
그것이 있어야겠다
육십이 되고 칠십이 되면
그 것 하나쯤은 가지고 있어야겠다

친구들에게

두 개의 국민이 헐뜯고 산다는 이 나라에서
어느 날 종이신문을 보다 본 건데
중국 명나라 말기
분서와 장서라는 책을 지었다는
사상가 이탁오라는 인물은
자기가 공자의 그늘을 벗어나 독자적 사유를 펼친 때가
지천명의 나이를 넘어서였다 라며
오십 이전의 나는 한 마리 개에 불과했다
앞에 개가 자기 그림자를 보고 짖으면
나도 같이 따라 짖었을 뿐이다고 했다는군 그려

황혼의 블루스에 즈음하여

내가 그대에 대해 우연히 듣게 되는 소식이란 때 지난 선친의 부고이거나 과년한 딸아이의 청첩이거나 혹은 그대 자신 얻어 걸렸다는 만성 통풍 따위의 얘기였다. 그 안에 담겨져 있는 소사야 알 리 없거니와 간간이 들려오는 이민을 갔었다거나 그러다가 혼자가 되어 돌아 왔다거나 하는 소식도 만만히 흘려 보냈다. 슬픔은 가장 오래가는 감정이다. 기쁨은 옛일이 되고 인고한 만큼의 분노가 종국엔 시간이 내리는 결론처럼 뭉뚱그려져 슬픔으로 남는 것이니, 소식들 뒤엔 필히 서늘한 가슴이 첩첩이 쌓여져 있을 것이다. 그러나 내가 그대에 대해 듣게 되는 소식을 짐짓 애먼 짓 하는 것처럼 흘려 보내고 마는 것은, 지하철 빈 좌석에 앉은 군상들이 안도와 졸음의 필사적인 순간에도 차마 눈을 다 감지 못하고 딴청을 부리는 것과 같은 일상의 디테일 때문이다. 그러니 그대가 나에 대해서 우연히 소식을 듣게 된다 해도 짐짓 그렇게 만만히 흘려 보내면 될 일인 것이다. 황혼의 블루스를 한 곡 흘려 듣는 것처럼.

편린 2014

장군이 베네수엘라에서 귀국했다. 시드니로 간다던 휴가일정을 바꿔 설을 넘겨 들어왔다. 홀로 된 어머니를 홀로 남겨 둔 자식들의 불효를 대신 하듯 멀리서 속을 앓고 있는 그에게 나는 브레히트의 짧은 시 '어머니'를 보내 주었었다. 사실 우리는 누구나 어머니를 앓고 있다.

혼사를 일찍 치른 교감이 앞서 나타났다. 매 주말 맞벌이하는 딸아이네 집 청소를 해주고 온다고 얘기 하는 그에게서 묵직하게 내리 누르는 바리톤의 냄새가 났다. 아이를 세상과 연계할 때 그에게선 안스러움 섞인 분노가 새어 나오곤 했다. 북한산 행은 아직 차가웠다.

하산 후 남도음식점 영산강에 자리했다. 식물박사 히로샘은 새해 벽두부터 집안 대소사 일로 속이 불편하다 하여 막걸리도 주춤거렸다. 그에게도 홀로 계신 어머니가 있다. 우리에겐 왜 어머니만 남는 것일까. 그의 잠깐의 가사 얘기가 우리 시대의 상실을 얘기하고 있었다.

배낭 속 경제학 사전이 불을 당겼다. 이기적 욕망을 교환하는 시장의 맞은편에 이타적 사랑을 내건 종교가 있고 원죄론의 맞은편에 휴머니즘이 있으니, 결국 경제와 종교와 문학은 세발 솥 관계라는 것인데 뒤늦게 합류한 집사가 그 중에 제일은 하느님 말씀이라 결론 내었다.

우리는 히로샘의 꿈을 같이 꿔 보기로 했다. 장군의 베네수엘라 커피에 교감이 음악을 섞고 나면, 나머지 스토리 만드는 일은 나의 일이 될 것이다. 영화 변호인을 보고, 그동안 한 일이라곤 친일인명사전을 사서 팽개쳐 둔 일 밖에 없다고 투덜대던 장군은 이륙 전 메일을 보내왔다. 꿈이었다. 2017년의 어디쯤에서 스코틀랜드 해안을 종단하는 영문학 기행을 떠나 봄은 어떻겠냐고, 1977 판으로.

4부　성모마리아에게 드리는 짧은 기도

두고 가야 할 것들

아침에 한 젊은 직원이 조퇴를 했다
그의 형수 되는 여자가 폐암 말기로
큰 병원을 찾아보기로 했다는 것이다
여인에겐 두고 가야 할 것이 많을 것이다
어머니와 누이도 그랬을 것이다
일흔 넷 중환자실의 어머니는
아픈 자식의 손을 놓지 못하셨다
쉰 둘 나이에 그 길을 따라간 누이도
남겨진 아이들을 마른 눈으로 바라 보았었다
서른 여덟의 젊은 여인에겐
어떤 남겨진 겨를이 있는 것일까
세상의 모든 망자(亡者)는 다 성실하게 살았다
지금은 두고 가야 할 것이 많아 두렵다

자유롭게 사는 법

'베르나르 베르베르씨가 말했다. 제가 아버지에게서 배운 것 중 중요한 것이 또 하나 있습니다. 자유롭게 사는 방법입니다. 그건 가장 쉬운 길은 아니지만 가장 흥미로운 길입니다. 남의 영향을 받지 않고 생각하는 자유, 상사 들에게 보고하지 않고 사는 자유, 삶 속에서 얻은 경험과 세상의 이곳 저곳 여행의 경험으로 개인적인 의견을 형성하는 자유, 그런 자유에는 대가가 따르기 마련입니다. 하지만 아버지는 그 대가를 치를 만한 가치가 있다고 가르치셨습니다.'

베르베르씨와는 달리 나는 아버지로부터 자유롭게 사는 법을 배우지는 못했다. 아버지는 자식들의 의견에 반대해 본 적이 없으셨다. 평생 가족 모임의 식사 비용을 지불하셨고 규칙적으로 사무실에 나가셨다. 말년엔 당신의 자리를 손수 마련하셨고 비문의 탁본도 친필로 써 두셨다. 나의 아버지는 스스로 자유로울 수 없는 분이셨다. 자유로웠으나 자유의 굴레에서 벗어나지 못한 나는 아이들에게 말해주고 싶다. 아이들아, 서로 의존하고 살아라, 그것이 연년세세 사람이 역사를 이루어 온 자유의 방법이니라.

먼 산, 가까운 그늘

-문성을 보고 와서

푸른 하늘

따가운 햇살

초록 윤기 가득한 병실 앞 뜨락

낮게 핀 청보라 도라지꽃

오래된 농담과 오래지 않은 농담

먼 산, 가까운 그늘

이끼 도드라진 바위틈엔 들 어디

한 때 붉은 용암 흘러내리지 않았으랴

어느 옛날에서부터 다듬어왔을 이승의 목소리

어느 옛날에서부터 추슬러왔을 다비의 뼈마디

먼 산 돌고 돌아

이제 가까운 그늘에 들었으니

하늘 구름 달 별

죽어가는 단어들을 하나씩 끄집어내어

그대

평안히

풍경처럼 누우라

사람을 떠나 보내며

누이 병실에 곰국 끓여 다녀 오신 다음날 어머니는 일어나지 못했다. 머리 수술을 하시고선 이내 깨어나지 못하고 길을 떠나셨다. 자식 앞세우기 싫어서였다고들 했다. 나는 임종을 하지 못했다. 병상에서 잡은 어머니의 손길이 오랜 슬픔에 묻어 남았다.

누이를 보고 오는 길엔 병원 층계참에서 한참을 흐느끼곤 했다. 통증이 가실 때쯤이면 누이는 두고 가는 아이들을 망연히 바라보았다. 두 달 후 누이가 어머니를 따랐다. 나는 어머니가 환히 밝혀 놓으신 길, 그 길 따라 가라고 기도했다.

해를 넘기고서 홀로 되신 아버지가 떠나셨다. 나는 죽음은 있던 자리에서 완벽히 사라지는 것, 남은 자의 슬픔이 그 자리를 대신하는 것이란 걸 깨달았다. 오랜 불면이 되살아났다. 세상을 향한 연민과 집착의 끈이 부문 부문 스러져 나갔다.

그림자

-진 호, 그의 젊은 날을 기억하며

비가 내리면
어머니 같은 밤
가슴 헝클어져 빗질도 못하고
새벽 두 시에 일어나
면벽을 한다
내일이면 다시
줄 수도 나눌 수도 없는
그림자
사뿐한 밤 고양이 되어
흥건한 달빛에 홀로
춤 추리

말씀

마흔 넘은 즈음
거덜 난 나라 위해 금가락지 내던 시절
회사 일로 한계를 넘어서기 시작할 무렵
불면이 찾아 왔다
나는 전주로 나아가 어머니를 뵈었다
얘야
무언가를 이루려 너무 애쓰지 말아라
무언가를 이루려면
세상에 독한 사람이 되지 않겠느냐
하해(河海)와 같은
어머님 말씀이 계셨다

우리는 잘 있다

여기는 걱정 말아라
우리는 다 잘 있다
너는 어떠냐
너는 네 생각만 하고 살아라
몸은 괜찮으냐
아침은 먹고 다니느냐
챙겨 먹어야 하느니라
하는 일은 어떠냐
속 끓이지 말아라
마음 편한 게 제일인 세상이다
생각을 거두어라
생각한다고 되는 일이 있더냐
생각하면 슬퍼지는 것이다
괜찮다, 얘야
슬픔은 새어 나오지 않는 게 좋은 법이다
꾹꾹 묵혀 날려 보내는 게 좋은 법이다
여기는 다 잘 있다

어머니, 나의 어머니

소중한 것은 스쳐 지나가는 것이 아니다
소중한 것은 보이지 않는 곳에 있는 것이다
그 곳에서
나를 낳고
나를 키우고
강보에 띄워 보내 듯 나를 떠나 보낸 후
나를 먼저 살다 간 당신
그 곳에서
이제는 바스락
마른 바람처럼 가벼워진 당신
품 안에 고이 안아 보내드린 후
보이지 않는 곳에 계실 당신을 찾아
보이지 않는 곳에 밝혀 놓으실 불빛을 따라
언젠가는
툭 떨어지는 눈물 한 방울로도
오래도록
다시 만날 수 있으리

성모마리아에게 드리는 짧은 기도

세상 모든 어머니의 어머니이신 성모마리아여
이 땅의 어머니를 위해 기도해 주소서
일생 가슴 저 낮은 곳까지를 쓸어 내주시어
텅 빈 심장과 새털같이 가벼워진 육신으로 남은
내 어머니를 위해 기도해 주소서
자식은 자식을 낳아 어미 된 자의 자리에 앉으니
제 살 내어 기른 자식
이기의 죄를 용서치 마소서
슬픔으로 거룩하신 성모마리아여
한 송이 장미 되어 가신 내 어머니와
그 이름으로 영원하실 어머니를 위해 기도해 주소서
그리하여
그 자리에 피어나는 성모의 붉은 문장으로
우리에게 무슨 일이 일어나게 하옵시고
그에 합당하게 하소서

아버님 전상서

오래도록 뵙지 못했습니다. 새벽 꿈에 뵙고 나니 잔상에 눈앞이 아려 옵니다. 자식 키우면 부모 마음 안다 하나 부모 된 자 다 그러려니 생각했습니다. 쉼 없는 세월 살아내고서야 비로소 아비 된 자의 마음을 알게 되니 이 이기의 사악함에 몸 둘 바를 모르겠습니다.

금암동 집에서 뵈었습니다. 집안이 부산 했습니다. 누님이 해맑게 친구들과 음식을 만들고 나누었습니다. 밤이 된 것 같았습니다. 어머님은 안 채 깊숙이 주무시는 듯 했고 아버님이 잠옷 바람으로 나오셨습니다. 빈 몸짓으로 어디를 그리 가시고자 하셨는지요

저는 알지 못했습니다. 아비 된 자 세상에 무릎 꿇는다는 사실, 아비 된 자 상처로 무장하고 물러섬으로 위장한다는 사실, 아비 된 자 자식의 주변을 늘 서성거린다는 사실, 어디를 그리 가시고자 하셨는지요. 빈 몸짓으로 나마 떨구고자 하신 외로움은 아니셨는지요.

육십 갑자의 나이에 다가 와서야 비로소 아버님을 뵙게 되니 이 무망함을 어찌해야 할지 모르겠습니다. 그 크신 외로움 이제는 저의 몸짓이 되었으니 저는 또 어디를 가겠다 하겠는지요. 꿈속이라도 안타까움에 아버님을 따라 나서지 못하였습니다. 다시 뵈올 때까지 연년 무강 하소서.

나의 수줍은 자리

그 사진 어디 갔을까. 누이는 나비넥타이를 멘 다섯 살 아이가 가운데 서있는 빛 바랜 가족사진을 보여주었다. 넌 항상 미간을 찌푸리고 있었어. 넌 아이들과 흙장난을 하지 않았어, 어울리지 않았어. 넌 주머니에 손 넣고 구경만 했어. 나는 수줍었고 변두리에 있었으며 세상과의 교신에 익숙지 못했다.

나는 낯선 친구들과의 포커 판에서 대개 돈을 잃었다. 싸워서 이기고 지는 관계가 늘 어려웠는데 어려웠음으로 때론 물러서 모든 걸 잃지는 않았다. 회사에서 구조조정이나 강공의 전략을 펼쳐야 했을 때에도 마음은 언제나 소심의 경계에 닿아 있어, 되돌아 자리로 돌아왔을 때 상실의 늪에서 크게 허우적대지는 않았다.

나는 이제 물러서 주변에 자리하려 한다. 사람에게서도 사물한테서도 물러서 경계의 자리에 있으려 한다. 고향엘 가보아도 언제나 그 주변이었 듯, 물러선 주변의 자리가 미간을 찌푸리고 도사렸던 아이의 수줍은 자리일 것이다. 그 사진, 누이 돌아가실 때 슬그머니 따라 갔을 수도 있겠다.

어머님 연서(戀書)

작은 누이가 올해는 어머님께 못 갈 것 같다 하였습니다
달력을 보니 가신 날이 코앞입니다
중추가절을 앞서 떠나셨으니 무심 세월이 막막해 옵니다
꼽아보니 가신지 여덟 해, 올해 여든 하나가 되셨습니다
큰누이 앞세우기 싫어 그리 서두르셨겠지요
이승의 뿌리 뽑힐 줄 모르고 살던 자식들
홀연 무너져 내리신 그 뜻 짐작이나 했겠는지요
중병상에 누우신 쉰 여섯 밤의 막막함이 회한으로 다가옵니다
평화동 성당에 누우실 때 어머니 방에 누웠던 누이
마지막 가신 자리에 나와 한 줌 흙과 기도를 올렸습니다
앞서 밝혀 놓으실 그 길 따르겠다 한 건 아니겠는지요
어머니 곁에 오래 눕고 싶다 한 건 아니겠는지요.
오랫동안 뵙지 못하고 또 기일을 맞습니다
주시고 또 주시고도 덜 주었다 마음 졸이신 어머니
가엾다 가엾다 하시던 큰누이 손 꼭 잡아 외로움 달래소서
연년 세월이 흐른 지금에야 큰 사랑으로 눈물집니다.

가슴에 아버지 동상을 세우다

세월이 흘렀다
쌓은 건 생각이고 만져온 건 시간이었다
한 켠에 나를 세워 아버지를 그리려 하였으나
나의 손은 그의 손 안에서 작았고
발은 그의 발 안에서 헐거웠으며
시선은 멀고 견고하여 따를 수가 없었다
바람에 머리를 날려 보았으나
풍상의 깊이는 가늠할 수 없는 것
땅을 디딘 굳건한 모습은 쉬이 다가오지 않았다
나는 부전자전이기를 포기했다
나는 내 하찮은 형용을 넘어서고서야 비로소
아버지의 모습을 볼 수 있었는데
나는 차마 아버지를 바로 볼 수 없어
뒷짐 진 모습 가까이에 오래오래 서있었다
그리고선 가슴에 아버지 동상을 세울 수 있었다
아득한 뒷모습 하나 새길 수 있었다

형제들에게

어머니는 작은 세계를 살으셨다
빌려준 돈은 있어도 빌린 돈은 없으셨다
말하려는 말씀보다 눈물이 앞서는 분이셨다
평생 자태 서러운 일심의 세계를 사신 분이셨다
어머니는 독립된 세계를 살으셨다
받을 양심은 있어도 갚을 양심은 없으셨다
떠나는 뒷모습을 하염없이 지켜보는 분이셨다
평생 가슴 서러운 자존의 세계를 사신 분이셨다
그러니 형제들이여
이단의 형제들이여
서로를 부정하지 마라
이는 곧 어머니를 부정하는 것이 될지니

바람 부는 날

아버지가 보시던 성경을
먼지 닦고 쓰다듬어
테이블에 올려놓았다
생각하면
한 밤 어둔 산 들여다보는 것처럼
새벽 바람 일어나는 소리 듣는 것처럼
살아온 오만 가지 형상이 두렵고 쓸쓸하다
팔 할이 바람이었던 사람은 행복 했으리
주머니에 손 지르고
반듯하게 놓인 말씀 지켜보다가
바람 불어 허락하는 날
장을 펼쳐
당신을 다시 뵈어야겠다

가을 하늘

어린 시절
쪽마루에 누워
심심한 하늘에 빠져들곤 하던 가을
있던 것은 있어 왔으므로
천 년 줄곧 거기 있었겠지만
나는 그새 떠나간 것들을 잊지 못하여
떠나려 채비하는 것들을 놓지 못하여
바스락 소리에 귀 기울이고
드문드문
사윈 햇볕 떠도는 숲 속에 누워
익사할지 모르는
푸른 하늘에 다시 빠져든다.

바람 되어 가는 것
-떠나간 형을 위하여

그대는 바람이다
나를 두고 앞서가는 바람이다
애간장 끊으시고 가는 바람이다
애련의 불바다를 건너 스쳐가는 바람이다
혼자 되어 가시는 바람이다
그렇게 생각해야 슬프지 않다
그렇게 울어야 아프지 않다
그 속에 나도 바람 되어 가는 것이니
스치는 바람 속에 그대 있으리
한 우주만큼의 그대 있으리

기도

-구파발 성당에서

하늘에 계시는

나의 어머니

이 땅에 있는 자식들의 마음에 부활 하시어

저들의 남은 삶이

굳건할 수 있도록

기도하여 주소서

갈라진 마음과

허물어진 육체로 남은 저들이

저대로 무너지지 않도록

어머니의 눈물로

기도하여 주소서

마음을 적다

부모님 가신지 십오 년이 되었다
어머니 옆자리 큰누이, 올 봄 성당으로 옮겼다
쓰다듬어 품 안에 두셨을 어머니, 훠이 훠이
뒷모습에 손 흔들고 계셨겠다
산 자식은 살아 있음으로 잊고 산다
그 세월 잊고 살아 오늘이 되었다
살아 온 못난 속내 두고 살 곳 없으니
아버지 뵙기 차마 부끄럽게 되었다

산다는 건 한 세월 살아내는 형식이다
물려받은 내림 흔적 담아내는 그릇이다
이제와 제 몸 하나 추스르지 못하니
가엾다 부모님 근심 더 하시겠다
그간 제사도 옮기고 성당도 옮겼다
옮긴 세상 낯설어 찾아오시기 어렵게 되었다
북한산 낮은 터, 산 자식도 다 모여보지 못했으니
누구에게 물어 어느 집에 오시겠나 싶다

당신과의 긴 하루

화 내지 마세요
화내지 말고 이해하려 해보세요.
마지막 한 방울에 찻잔이 넘치는 법이니까요.
다들 아프며 살지 않나요
상처 나고 아프면서 사는 거니까요
우리를 위해 기도해 본 적이 없는 것 같아요.
주위의 작은 일상을 위해 기도해요.
죄는 약한 사람이 짓지만
약한 사람이 죄는 아니니까요
당신과의 시간이
마치
한 곳에 오래 머물며 기억 할
긴 하루를 보낸 것 같아요

11월의 단상

부재
있어야 할 사람이 그 자리에 있지 않음
죽음과 같은 것이다
부질없음이 몸에 새겨지고 있다
해마다 11월의 바다는 순치 않았다
거칠고 차가웠다
그 망망한 대해에
작별인사를 해야겠다
어머니를 만날 수 있다면
장미꽃을 환하게 안겨드릴 것이다
마리아의 문장을 안겨드릴 것이다
슬픈 상상 속의 일이다
가장 익숙한 것과의 이별 후
나는 빛을 잃었다
나의 시는 부재로부터 온다
작은 시 한 편도 언제나 나보다 크다

5부   사라지는 것들에게

아침밥을 차려 먹고

아침밥을 차려 먹고

적당한 크기의 관계와 네트워크를 설정 중이다

팬스런 사람과 시간을 나누는 어색함을 조정한다

오래된 사람과 빈 말 주고 받는 피곤함을 조정한다

쇄락한 인연과 과장된 우연을 조정 중이다

쌓이는 주소와 상업적 명랑을 조정중이다

아 비난 받아 싸다 하더라도

늙어갈 뿐인 피아의 몸과 정신에 대하여

먹지 않던 아침밥을 차려 먹고

내 또 무슨 가당찮은 어휘를 동원하여

억지스런

관계 안에 자리 할 것인가

3월에 내리는 눈

-지나온 세월에게

시간이 흐릅니다
바람 부는 기억의 저편에 편편히 눈이 내렸지요
어린 지바고의 시선이 머물던
먼 시베리아 긴 울음이 전해옵니다
나는 그 울음 사이로 팔을 베고 엎드려
가장 오래된 옛날과
오래지 않은 옛날을 생각 합니다
눈은 소리 없는 분노처럼 휘몰아치다
체념의 나비처럼 나풀거리다가
이내 스러져 흔적을 남기지 않습니다
나는 그 흔적 없는 것들의 최후를 위하여
오래도록 간직해 온 마른 눈물을 바칩니다
지난 세월에 소리 없는 통곡을 바칩니다
잃어버린 꿈과 달콤한 잠이 있는
샤갈의 마을엔 3월에 눈이 옵니다
지나온 길 위에 송송 자국을 내는
비둘기 발목이 발갛게 얼었습니다

님의 침묵

다시 시작하고 싶어요
하늘이며 구름이며 바다, 새
죽어가는 단어들을 끄집어내고 싶어요
잠수함을 타고 싶어요
첫 키스의 추억에
수밀도의 가슴에
그대의 모든 것에
살며시 들어가고 싶어요
님은 가셨을지라도
갖고 싶은 것은 갖고 싶어요
그대의 침묵을 갖고 싶어요

사랑

안으면
그 무게
천 만 근이고
놓으면
그 나락
끝 간 데 없다

눈 오는 날의 당신

나는 내심이 들떠 있다
당신은 차분하고 조용하다
나는 일층 높고 당신은 일층 낮다
수선스런 눈발처럼 마음만 부산할 뿐
보내려는 사람의 할 말은 얼마나 많겠는가
떠나려는 사람의 할 말은 얼마나 많겠는가
부려 놓으면 먼 산처럼 쌓일 것이니
수선스레 쏟아지는 눈발 속에서
나는 이렇게 위태로운데
말을 버리고도 완성되는 사랑처럼
안부 묻는 일을 대신 하듯
오래 전부터 그랬다는 듯이
가지런히 앉아 있는 당신

세상

어떤 사람은
어떤 사람의
세상 이기도 하다
그 세상이
한 세상을
피우게 하고
무너지게 한다

꽃의 평화

꽃은 나른하다
꽃은 사람을 향해 피어난다
멀리서도 속살을 보이며 환한 별처럼 피어난다
피어날 뿐 저지르지 않는다
거슬러 저지르지 않으므로 분주하지 않다
꽃의 일은 피의 인연이 없어 평화롭다
꽃의 일은 식물성이다

환한 꽃

살구꽃 벚꽃이 환하다
돌배나무 꽃 그늘은 더 환하다
천지 사방 비 나리는 그 꽃
가만히 눈 맞추어 바라보면
가슴 뭉친 한 가운데 톡, 하고 터진다
작은 꽃은 작은 만큼
큰 꽃은 큰 그만큼
빗질도 못한 가슴 툭툭 터져 내리고
그 자리
가늠 없이 쌓아 둔
멀어 자욱한 슬픔이 차오른다
아침처럼 차오르면
가슴 다시 환해온다

신세기 담론 (1)

나는 당신의 것이다
당신이 내 것이라면
당신이 내 것이 아니라면
그러므로
나는 당신의 것이 아니다

신세기 담론 (2)

한 어여쁜 꽃이
자유로운 나비와 만났다
이들은 어른 된 사랑을 하였다
운명이라 생각했다
어느 날 운명은 싱겁게 끝이 났다
감추어야 할 향기를 감추지 않은 꽃에
오뉴월 벌레들이 들끓자
문득 나비도 스스로 그와 같다는 생각에
날개를 접고 차가워졌기 때문이다

신세기 담론 (3)

세상에서 가장 아름다운 것은
꽃이 아니다
부질없이 피고 지는 꽃이 아니다
세상에서 가장 아름다운 것은
꽃 피고 지는 사월
반짝이며 반짝이며
세상의 모든 시작을 준비하는
연두 빛
작은 이파리 들이다

소크라테스의 대화

원로원 자세로 티비를 보던 아이가
길게 누운 내게 질문 하였다
운명이라는 게 있을까
없을 것 같다고 대답하였다
사랑이라는 게 있을까
없을 것 같다고 대답하였다
타이밍이라는 것일까
그럴 것 같다고 대답하였다
잠시 후
아이는 들어가고
무심한 테레비만 남았다

팔월의 일요일

이십 세기
팔월의 일요일
일렁이는 숲
차오르는 샘
전율하는 꽃
나른한
달콤한
깊은 잠에 빠진
한 여름 밤의 꿈
뒤집힌 길에서 쓰러지지 않기

강변북로에서

시속 80km는 로맨틱 스피드다
풍경도 그만큼의 속도로 달린다
강물은 노을을 비늘로 받아낸다
달리는 이유를 잠시 망각한다
미간을 찌푸리고 망각에 대하여 경계한다
시야에서 풍경이 사라진다
풍경에서 그만큼의 시간도 사라진다
사라져 어디서 무언가 하고 있겠지
옛사랑의 그림자를 잠시 회상한다
미간을 찌푸리고 회상에 대하여 경계한다
검은 선글라스 속으로
시속 80km의 강물이 흐른다

홋카이도

달이 기울면
빛과 그늘 깊은 부분이
뚜렷하게 갈라져
찬 바다 쿠릴 위에
얼굴 붉히는
에로티시즘이 시작된다.
메마른 강이 차 오르듯
일월의 몸짓을 넘어
유희와 수사가 몸부림치는
르네상스처럼 탐스런 계곡
신화처럼 떠오르는 비밀의 호수
타투의 문신이 새겨진
키가 후리후리한 30대 여인 같은.

사랑도 그렇게 끝나는 것일까요

사별은 지독한 슬픔이었지만
삶에서 만나는 진부한 사건이기도 하잖던가요
가슴을 누르고 얼마 간의 시간이 흐른 뒤
냉담한 사람처럼 툭툭 털고 일어나지 않던가요
사랑도 그렇게 끝나는 것일까요

인연도 그렇게 끝나는 것일까요
보낸다고 떠나고 떠난다고 보내는 것이던가요
매일 만나는 순명의 진부한 사건들처럼
먼발치 시선으로 툭툭 털고 일어날 수 있는 건가요
사랑도 그렇게 끝나는 것일까요

*'사랑은 그렇게 끝나지 않는다': 줄리언 반스, 소설

내 마음은

내 마음은
호수도 나그네도
아니랍니다
사람의 마음을
얻는 일
버리는 일
그 숙명 같은 일
내 마음은
더 이상 묻지 마세요
랍니다

*'Ask me no more ': 로렌스 알마타데마, 그림(1906)

슬픈 일

엇갈린 길에서 만나
봄 여름 가을
하얀 눈처럼 머물다
수천의 날
더 머물지 못하고
지천으로 꽃잎 날릴 적에
인연 끊어 놓아두고
그 길 다시 떠났으니
남은 길 위에선
차마 잊힐리야 없으나
우연이라도
그대 다시 스칠 수 없으리

나 떠나면

어느 날
먼 곳보다 멀리 있어
닿을 수 없는 그대
바람 결에 실어서라도
나의 소식 듣는다면
가던 길 잠시 멈추고
동박새 앉았다 떠난 자작나무 숲에 기대어
빛나던 날
빛나던 나를 기억해 주세요
그러다
푸르러 갠 서편 하늘
반짝이는 시온 강가에
붉은 노을 지고
일렁이던 바람마저 잠들어
사위가 홀로 어둑해지면
그 때
흐르고 흐르는 눈물 속으로
나를 떠나 보내 주세요

부활

나무는 죽었다가 살아나고
죽었다가 살아나고
제 몸에 부활의 눈금을 새기고 있다
나에겐 새겨야 할 시간이 없다
내겐 이렇게 오랜 이별이
어떻게 한 순간일 수 있을까
내겐 그토록 오랜 세월이
어떻게 한 눈금일 수 있을까
생각에서 시간을 정지시키고 있다
몸 안에 새겨진 흔적
잊혀질까 두려웠으나
이제는 잊혀지지 않을까 두렵다
나는 어떤 흔적으로 남게 되는 것일까
나에겐 새겨야 할 눈금이 없다
나는 부활하지 않을 것이다

사라지는 것들에게

사라지는 것들에게
한마디 말도 없이 사라지는 것들에게
사라져 어딘가에서 살아내고 있는 것들에게
사라져 끝내 소멸하지 못하는 것들을 위하여
사라져야겠다
사라져 보이지 않아야겠다
사라져 종래 슬픔으로 남는 것들을
더는 슬픔으로 만나지 않기 위하여
모든 사라지는 것들에게서
사라져야겠다
나의 차례다

겨울, 모든 것의 오후

안에서 밖을 보다
골목은 비어 있다
시간은 흐르고 생각은 흐르지 않는다
밖에서 보는 안을 보다
나는 거기에 있다
숨을 쉬지 않는다
밖이 어두워지고 있다
어둠 없는 것이 존재하는 어둠으로 바뀌기를
어둠의 시간에는 마법의 이름이 필요하다
영혼 속으로 갖고 들어갈 이름
모든 연을 끊어도 남을 이름
나는 잔상으로 남아 있다
북받치는 숨을 참는다
겨울 빛들이 별이 되어 떨어진다
나는 골목 끝 긴 빙폭 아래로 몸을 날리는 상상을 한다

에필로그

(2024년 봄, 쓰고 정리하다)

편린 2014~2021

2014

봄.　　어젠 안과에, 오늘은 치과에 다녀왔다. 밝은 곳에선 자꾸 눈물이 난다. 전에 씌운 이도 하나 욱신거린다. 내과에서 피검사, 위내시경도 하기로 했다. 꽤 오래 속이 불편하다. 역류성식도염이다. 담배 끊으려 약 타왔다

　봄에 가던 성묘를 여름이 다 돼 간다. 사는 건 이렇게 멀어져 가는 일이다. 괜찮다 하시겠지. 전주 성묘 후 순천에 하루 들렀다. 최교수와 박시인이 사는 곳, 오랜 세월 처음 가보는 것이니 무심연세다.

여름.　　젊은 사람들에게 가혹한 세상이다. 무엇이 그들의 삶을 멈추게 할까. 갑작스런 소나기 몇 번 지나면 여름이 온다. 오랜 대학 친구들과 식사했다. 요란한 소나기와 장맛비, 7월의 여름은 그렇게 지나간다.

　아버지 기일, 많은 것이 스러지던 그해 7월이 떠올랐다. 아버님전상서를 썼다. 보낼 수 없어 저장해 두었다. 여름 햇빛 아래에선 현기증처럼 눈앞이 캄캄해 온다. 비 와라, 한 사흘, 떠내려갈 것은 떠내려가게. 불광동 성당에서 백일홍을 보았다. '수많은 꽃이 막 떠오르는 우주선처럼 장중한 타원을 이루는' 올여름도 백일간 붉게 피어날 꽃.

　부활, 종말, 회개, 구원의 줄거리엔 악마성이 있다. 이승의 허

무와 저승의 구원을 파는 종교들, 세월호와 가늠할 수 없는 참척의 고통. 가난한 나라 출신의 낮은 교황이 오셨다. 대낮의 열기와 한밤의 어둠에서 마음이 지난한 나라의 사람들, 이 땅의 젊은 이들에게 평화를. 아직은 비켜가야 하진 않을 때, '평화는 정의의 결과이니(이사야 32.17)'.

가을.   가을비는 소리가 없어 바라보기 좋다. 서울엔 그렇게 비가 온다. 눈이 침침하면 귀도 먹먹해 지는가, 오른쪽 어깨와 목도 괴롭다. 아프며 사는 거겠지. 그래도 메니에르는 두렵다, 죽은 듯 쓰러져 있어야 하는 그 시간이.

 볕이 좋다. 양배추, 토마토, 비트에 칼집을 내 끓는 물에 데쳐 갈아 마시면 식도염에 약보다 좋단다. 이번 추석엔 빈 성당에 나가 일찍 가신 어머니 모습을 가슴에 안아 봐야겠다.

 여럿이 부산에 다녀왔다. 친구가 암 말기로 위중하다는 연락을 받고서다. 초록빛 가득한 병원 뜨락, 차분한 그의 목소리, 풍경으로 오래 남을 것 같다. 어머님 돌아가시던 그 해의 가을을 생각한다. 다시 부산에 다녀왔다. 그새 친구가 떠났다.

 가을비 지나더니 기운이 차갑다. 나뭇잎들이 금새 물들어간다. 단풍 들면 낙엽으로 뒹굴겠지. 햇살 사원 거리에서 그림자를 밟다가, 그림자도 아픔이 있는가, 얼굴을 찡그리고 오래도록 서 있었다. 가을볕이 이렇게 환했을까. 전주 부모님 산소에 다녀왔다. 이 가을 '단풍처럼 타오르지 못하고' 서늘한 가슴만 남았다.

옛 직장 동료와 30여년 만에 메일이 닿았다. 필리핀에서 선교 사업을 했다고 한다. 그의 결혼식 때 내가 부탁드려 써 주셨다는 아버지 글씨를 돌려 주었다. 아버지를 뵌 듯 반가웠다. '교선여란 지(交善如蘭枝)', 새로 표구해 걸었다.

겨울. 'November Rain'을 듣다. 김남조의 '겨울바다'를 꺼내 작은 소리로 읽어 보다. 첫 눈은 왜 늘 그리 심란스레 오는지. 감정의 깊이가 갈수록 얕아져 추스르기 힘든 일이 많아진다. 한 해가 간다.

2015

겨울의 끝. 새해 첫 날 담배를 끊었다. 친구 모친상으로 분당 병원에 다녀오다. 부모님은 그렇게라도 오래 사시는 게 좋을 듯하다. 소소한 마음이 밝아지지 않는다. 나이가 사람을 작게 만드나 싶다. 어깨 쪽 통증은 목 디스크 증세다. 아침이면 이름을 알 수 없는 새소리들, 2월에 많은 눈이 내렸다. 3월은 아직 춥다. 봄은 바람과 함께 시작한다, 꽃가루들이 날려야 생명이 움트니까.

봄과 계절들. 다시 부산스런 봄이 왔다. 햇볕 드는 어느 시점에 살며시 흔들리고 싶다. 아프다 아프다 하는 사람들에게 표내지 않고 내 아픔도 토해내고 싶다. 꽃 그늘 사이로 잎도 피기

전 향이 올랐나, 코끝이 쌔 하다. 이제 바라보는 것 보다 기억해야 할 나이에 이른 것 같다. 워즈워드의 'She walks in beauty'를 찾아 읽다.

5월엔 화창한 바람이 분다. 히가시노 게이코의 '나마미야 백화점의 기적'을 읽다. 켜켜이 쌓인 무게에서 어느 한 쪽을 덜어내는 건 위험하다. 쉬 버릴 수도 가벼워질 수도 없다, 다 놓아버리는 방법이 있긴 하다.

오른 쪽 눈, 귀, 목과 어깨가 좋지 않다, 생각은 좌로 치우쳐 있는데 우로 편향되게 살았나. 자괴감을 피하려 잠시 읽고 쓰는 일에 집중했다. 토비에게 동생 고양이 쿠키를 입양해 주었다. 교황 프란치스코가 쿠바에서 '신은 교회가 가난해 지기를 원한다'고 말하다. 10월에 전주 형이 병동에 입원했다. 내려가 그의 얼굴을 보다. 누이네와 가을 북한산에 오르다.

올 한 해, 걷고 싶다는 나의 말에 선뜻 나서준 오자방 친구들에게 고마움을 전하지 못했다. 봄부터 가을 내 도성 길을 안내해 준 장군, 걷다 만난 풀 꽃 나무를 얘기해 준 히로샘, 말없는 길 같이 해준 교감, 늘 하느님께 감사하던 집사, 나는 남모르게 그 곳에 가슴 밑바닥의 시간을 훑어 보내고 왔다

2016

봄의 시작.　　　큰아이는 올 해 유학준비를, 작은아이는 내년에 변호사 시험을 앞두고 있다. 헌은 지난 해까지 3년 간의 직장

생활을 마감하고 싱가포르 유학을 준비 중이다. 인은 공부하는 시간을 아끼기 위해 학교에서 가까운 투룸으로 옮겼다. 지난 연말 촉발된 로스쿨 사태는 가라앉았다. 마지막 학년 준비다.

다시 수험생 둘을 둔 아내는 스트레스를 감추고 있더니 급기야 급성 장염으로 응급실 신세를 졌다. 안사람은 현명하게 잘 대처하고 있다. 나는 치과에서 임플란트 처치를 시작했다.

3월은 봄 이라기보다 겨울의 끝에 가깝다. 바람은 차고 볕은 어설프다. 헌의 일과표가 바뀌어 나의 아침 시간도 바뀌었다. 그 새 봄이 지나간다. 헌도 인도 중요한 한 해를 보내야 한다.

2017

환한 봄. 1월에 본 시험 결과가 4월에 나왔다, 인이 변호사 시험에 합격했다. 내 삶에 또 한번의 가장 기쁜 순간이 되다. 군 훈련을 마치고 연수를 다녀와 6월에 법무관에 임명 되었다.

헌은 싱가포르 대학원 MBA&MPA 과정 3월 신학기에 무난히 입학해 유학길에 올랐다. 경영학과 회계학 석사과정을 동시에 마치고, 4학기 과정을 3학기에 조기 수료 하려는 생각을 갖고 있다.

5월에 싱가포르 가족여행. 아내와 인과 함께 헌에게 다녀오다. 새 학기를 시작한 헌의 새로운 삶을 둘러보다. 학교, 학교가는 길, 사는 곳, 사는 방, 사는 도시를 둘러보다. 아이들은 다시 최선을 다 해 주었다. 아이들 엄마가 많이 기뻐했다.

2018

싱가포르.　　　헌은 계획대로3학기 만에 두 개의 석사학위를 받고 8월 졸업했다. 졸업 전, 미국계와 현지 회사 등에서 오퍼를 받았으나 한국계 회사를 선택했다. 졸업 전인 6월에 Financial Manager로 입사하다.

　헌의 졸업식에 휴가를 맞추어 다같이 싱가포르에 다녀 오다, 졸업식장에서 컴퓨터공학 석사를 마치고 대학 IT연구소 연구원으로 있다는 록시가 인사를 했다. 졸업 기념 가족사진에 록시가 함께 하다.

　인은 법무관 2년차 생활을 충실히 수행하다. 아이들 엄마가 살며시 마음을 놓다.

2019

결혼식.　　　큰아이가 착하고 예쁜 록시와 결혼하다. 10월에 현지의 호텔에서 성대한 결혼식을 올리다. 록시 부모님과 친인척과 인사를 나누다. 흰색 수트, 흰색 드레스의 영국식 결혼식을 올리다. 아침에 예식을, 저녁에 파티를 하다. 좋은 사람들, 명망 있는 가문으로 아내가 마음을 놓아 하다. 유럽 신혼여행 다녀와 록시의 직장 가까운 주롱웨스트에서 신혼생활을 시작하다. 한국 결혼식은 1 년 후에 하기로 했다.

　인, 8월에 부산으로 법무관 3년차 발령이 났다. 오피스텔을 얻고 이사했다. 다행히 바다 도시의 쾌적하고 여유로운 분위기를 좋아했다. 주말이면 서울에 자주 올라 오고 아내도 자주 가보다.

2020

코로나.　　가족 생일을 달력에 표시하다. 록시가 가족이 되다. 1월에 인이 업무 차 전주를 방문해 어른들께 인사하고 조카들과 저녁 자리를 했다.

　설 연휴에 헌과 록시가 결혼 후 처음 김해공항으로 입국했다. 가족이 다같이 부산에서 명절을 보냈다. 상경하여 성당 신부님을 찾아 뵙고 가을에 있을 혼배성사에 대해 면담하고 출국했다.

　2월 말부터 중국에서 발현된 코로나로 나라 간 이동이 자유롭지 못하게 되다. 헌의 5월 한국지사 출장 건이 취소 되었다. 가을로 예정했던 한국 결혼식도 미뤄지게 되었다.

　인은 3년간의 법무관에서 전역하고 법조계 지인 분들의 추천을 받아 유수의 법무법인을 로펌으로 선택했다. 8월에 첫 출근하다.

　세상이 코로나 팬더믹에 빠져들었다. 각 나라들이 문을 닫고 이동과 교류를 차단하였다. 마스크 대란이 일어나다. 매일같이 감염자 수와 사망자 수가 보도되다. 세계가 재앙의 상황으로 빠져 들었다. 세상은 대면 사회에서 비대면 사회로 전환 되었다.

은평에서 이사하다.　　연말에 9년간의 은평 생활을 마감하고 다시 여의도로 이사하다. 이념 편향의 정책이 개개인의 삶에 직

접적인 영향을 미치는 결과를 체감하다. 은평 아파트를 매각하다. 북한산이 그리운 만큼 세상과의 괴리가 깊어짐을 느끼다.

2021

다시 여의도로.   아내와 현대미술관, 과천대공원, 김포하성, 한강신도시, 영종도, 하늘신도시, 운양동, 고촌, 청라신도시, 송도, 덕소, 서종테라로사, 하남, 위례신도시를 가보다. 교통이 좋은 여의도 집에서 자주 한강 드라이브에 나서다. 부산에서는 인과 같이 동백섬, 송정해안, 해변열차, 오륙도, 오시리아, 김해아울렛, 다대포해안과 범어사, 통도사를 가보다. 아내가 많이 좋아했다.

　인, 해운대 소재의 아파트를 사다. 매입부터 인테리어 공사까지, 안사람이 부산에 여러 번 다녀오는 수고를 아끼지 않았다. 11월, 새로 단장된 아파트에 입주했다.

　헌과 록시가 1년 9개월 만에 PCR 등 방역 절차를 거쳐 11월 귀국하다. 그간 HDB에서 콘도로 집을 옮기고 재무그룹장으로 승진도 했다. 헌은 서울지사 일로, 록시는 재택근무로 바삐 지내고 12월 초 출국했다. 록시는 안사람이 차려 주는 밥을 맛있게 먹었다. 아이들은 고모네도 만나 인사 하고 갔다.

형이 떠나다.   8월에 형이 갑작스레 세상을 떠났다. 떠나기 이틀 전, 나는 전주를 방문해 형과 저녁을 같이 했었다. 저녁 하고 오는 길에 손을 잡아 주었었다. 장례식에 참석했다. 문상 온

형의 지인들을 맞았다. 인과 아내가 천호성지에 가주었다. 나는
그의 갑작스런 떠남을 계기로 가족이라는 굴레의 의미를 다시 생
각하게 되었다. 평소 그의 말처럼, 사는 게 그저 '소풍 왔다 가는
것'은 아닐 것이었다.

불면과 스트레스로 병원에 다녔다. 여의도성모병원 안과에서
망막 검사를 했다. 정형외과를 다녀왔다, 미루었던 치과도 다니
기 시작했다. 계기가 있어서야 병원을 찾는다. 토비, 쿠키도 병원
에서 예방주사를 맞았다. 토비가 왼쪽 송곳니를 발치 했다. 나는
새벽 전화에 대한 트라우마가 생겼다. 이른 아침엔 벨이 울리지
않도록 설정해 두었다.

아내와, 3년 터울의 두 아이가 초등학교부터 대학까지 같은 학
교 선후배로 함께 크고 자란 곳, 아내가 고교 영어교사로32년
간의 교직 생활을 마무리 한 곳, 내가 한창 바쁘던 곳, 다시 목
동으로, 크고 넓은 우리 집으로 옮기는 것을 상의하고 결정하다.

자화상

자작나무 숲에 대하여

'자작나무는 북위 45도 위쪽 추운지방에서 잘 자란다. 기름기가 많아 탈 때 자작자작 소리를 낸다고 해서 자작나무다. 우리나라에서는 백두산 개마고원일대에 자작나무가 **빽빽**하다고 한다. 백두산 일대에서 자라는 자작나무는 대부분 사스레나무다. 껍질은 시베리아 자작나무와 같이 하얗고 종이처럼 얇게 벗겨지지만 매끈하지 않다. 곧게, 조금 구불구불하게도 자란다.

백석은 시 백화(白樺))에서 '산골집은 대들보도 기둥도 문살도 자작나무다. 밤이면 캥캥 여우가 우는 산도 자작나무다'고 했다. 개마고원 사람들은 자작나무 기둥으로 움막을 짓고 껍질로 지붕을 얹었다. 자작나무 장작으로 밥을 짓고 군불을 땠다. 밤중엔 자작나무 횃불로 길을 밝혔다. 산삼을 캐면 자작나무 껍질에 싸서 보관했고 여름날 밥이 쉬지 않도록 자작나무 껍질에 갈무리했다. 그리고 숨을 거두면 자작나무 껍질에 싸여 땅에 묻혔다.

1972년 천마총이 발굴 됐을 때 사람들은 놀랐다. 하늘을 나는 동물 그림 때문이었다. 가로 75㎝ 세로 53㎝. 우여곡절 끝에 이 동물의 이름은 '천마도(天馬圖)'로 붙여졌다. 그림은 자작나무 껍질 위에 그려져 있었다. 도대체 5, 6세기 경주에서 자작나무 껍질을 어떻게 구했을까. 어떻게 천 오백여 년 동안이나 썩지 않았을까. 경주는 북위 35.8도에 불과하다. '   (-백과사전, 네이버)

강원도 원대리에 가면 자작나무 숲이 있다. 서울에서 춘천고속 도로를 타고 동홍천 나들목에서 속초 인제 방향으로 가다가 인제 장묘센터 표지판을 지나면 자작나무 숲에 이르는 것이다. 나는 전에 덕유산 심곡리 무주리조트 서북향 자락의 편편한 터에 드문 드문 흰 자작나무 숲을 꿈꾼 적이 있다. 나는 당시 자작나무를 일렬로 심고, 그 중 일층 수려한 나무에게 눈부신 사람의 이름을 붙여 주었다.

나의 세기

나는 지금 21세기의 첫 스무 해 너머를 지나고 있다. 신세기 예수 스티브잡스가 홀연 다녀간 세계는 바야흐로 메타버스의 세 상으로 변환되려는 듯하다. 이 행성에서 존재해 온 억겁의 시간 이 가상으로 바뀌거나 아니면 일체의 망각을 향해 가고 있는지도 모르겠다. 2020년 시작된 코비드 팬더믹은 전 세계 사망자 5백 만 명을 넘기고서야 끝을 보였다. 이 신세기를 사는 구세기 인류 는 역사가 경험해보지 못한 온라인과 AI의 세상에서 분열과 교 합의 가학적 실험을 겪고 있는 듯하다.

나는 지금 생물학적 과정의 후반부에 있다. 나는 사회학적 관 계에서도 한발 물러서 있고 존재론적 상실감도 순순히 받아 들이

고 있다. 두 살 위 형이 갑자기 먼저 생을 마감하면서는 내 집착
의 끈도 부문 부문 무너져 내렸다. 나는 빠르게 지나가는 시간의
흐름을 느끼고 있다.

아이들은 새로운 세기를 살고 있다. 헌은 싱가포르에서 록시와
지니어스한 삶을 꾸리고 있다. 나는 신세기가 이 두 아이에게 불
가지 연을 작동한 것이라 믿는다. 나는 이 아이들이 이국에서 보
다 넓은 시야로 굳건한 역사를 쓰기를 소망한다. 인은 꿈을 향
해 꿈을 포기하는 치열한 몸짓을 하고 있다. 나는 이 아이 하는
일의 전문성에서 비범함을 본다. 나는 이 비범함이 신세기의 새
로운 가능성 안에서 접합되고 존중되기를 바라고 있다. 아이들은
오래도록 내 곁에 있을 것이다. 이들의 21세기 삶에 늘 겸손과
평화가 함께 하기를.

나는 간간이 기록해 온 나의 세기를 정리하고 있다. 나의 시는
2005년에 시작되었다. 고백하건데, 나는 때때로 살얼음 같이 얇
은 내 의식에 깊게 베이곤 했다. 자괴였으므로 상처는 아물지 않
고 살아 종종 나를 우울케 하였다. 이제 아무것도 연민하거나 원
망하지 않으려 한다. 부질없음이 체득될 나이이기도 한데 가끔씩
차오르는 새벽녘의 슬픔이 조금 버거울 뿐이다. '그 많던 집착은
다 어디로 간 것일까.' 나의 세기는 사라지고 몇몇 조각 글로 남
았다. 그러므로 나의 시는 기록이다. 세월과 사랑과 집착에의 편
린이다.

토비와 쿠키

우리 집 토비는 10살 난 고양이다. 인이 학교 근처에 방을 얻어 공부에 한창이던 2014년. 한 살 난 샴 고양이를 데려다 키웠던 모양인데 이 아이가 벌레를 잡으려 점프하다가 4층 창문 밖으로 떨어졌고, 응급실에 실려가 이틀 만에 깨어 났다고 한다. 이어 대퇴부에 큰 수술을 하고 깁스를 한 상태로 간병과 재활을 위해 집에 데려다 놓게 되었는데, 이것이 인연의 시초였다.

그리고선 9년, 토비는 잘 먹고 건강하게 자라 하루 종일 옆에서 집안 일 이것저것 간섭하고 매달리고 말 많고 호기심 많은 고양이가 되었다, 아내는 토비가 집안의 분위기와 세상의 이치를 아는 '영물'이라고 말하곤 한다.

동생 쿠키는 8살 난 고양이다. 근 반년의 고생 끝에 네크레스트를 풀고 깁스를 제거한 토비에게 동생을 만들어주자는 생각이 인과 아내에게 있었다. 몇 번 알아본 끝에 입양한 아이는 당시 생후 두 달, 막 젖을 뗀 아기 고양이였다. 하얀 털에 파란 눈을 가진 '샴 블루아이'였는데, 이 한 뼘쯤 되는 아이에게 우유를 먹이던 아내는 "이 아이는 지구상의 생물이 아닐 것"이라고 말하곤 했다.

그리고서 쿠키도 잘 자라 어른이 되었다. 제법 의젓하고 무게 있는 고양이가 되어 토비 자리를 넘보기도 하지만, 여전히 제 형 품에서 물고 자고 깬다. 쿠키의 깊고 푸른 눈과 일단 마주치게 되면 누구도 그의 요구를 거절할 수 없게 된다.

쿠키는 한껏 매달리다가도 제 욕심만 채우면 돌아서는데 반해, 토비는 늘 제 동생 쿠키에게 간식 순서를 양보하고 옆에 앉아 기다린다. 이 아이들의 체온과 두근거림이 내게 얼마나 큰 위안이 되었는지. 깊은 눈빛, 기품 있는 자태, 민첩하고 조용한 움직임, 고도의 집중력. 차가운 밤중에 눈을 뜨면 이 아이들의 온기가 늘 나의 머리맡과 발치에 있다. 나는 안다, 이 아이들로 인해 세상 눈 마주치는 것들에 대해 '쓸데없는' 연민이 많아졌음을.

나비부인에게

저녁 하늘처럼
살며시 피곤이 몰려 와요.
아이들이 제 갈 길 잘 찾아 갔으면 좋겠어요.
가슴 아프고 싶지 않아서요
견뎌 낼 공간이 많지 않아서요.
사랑했던 것들은 다 떠나니까요.
무소유의 뜻을 알았어요
사람을 갖고 있지 않는 거더군요.

숨 가쁜 세상

혼자 사는 연습을 해야 한다는 걸 알아요.
돌이켜 보면 나의 세기, 우리 일월
많은 짐이 당신 어깨에 지워졌던 것 같아요.
그 무게 담담해 보이려 애써 온 세월
그 상처 감출 새 없이 달려온 당신
나는 그때 그 때, 어디에 있었던 것일까요.
당신은 내내 아무 일 없었다는 듯 있고
아이들을 위해서는 여한이 없노라 말하지요.

당신은 아실까요,
어떤 부산한 세상에서도
여전히 향기로울,
어떤 인고의 세월에서도 넘쳐 흐르지 않을
마리아의 꽃을 닮았다는 걸,
봄바람 스치며 지나가는 새소리처럼
살랑이는 햇살과 바람 속에서
오월의 저녁 장미처럼 화사 하다는 것을.

우리 젊은 어느 날,
명동의 언덕에 나아가
성당의 마리아를 가슴에 담았었지요.
그 성모마리아께,
당신의 건강과 우리 아이들의 평안을 빌어요.